AN MHEÁNAOIS

SARAH HOWARTH

Seán Ó Cadhain
a d'aistrigh

AN GÚM
Baile Átha Cliath

KT-429-983

Buíochas agus Admhálacha

Gabhann na foilsitheoirí buíochas leis na daoine seo a leanas as ucht a gcabhrach agus a gcomhairle le linn an leabhar seo a bheith á réiteach: le Anne Pearson agus Rowena Loverance de chuid Mhúsaem na Breataine; le Maureen Pemberton de chuid an Bodleian Library; le Michael T. Wright de chuid Mhúsaem na hEolaíochta; agus freisin le Bill Le Fever, a mhaisigh na leathanaigh thrédhearcacha agus an clúdach; agus leis na heagraíochtaí éagsúla a thug cead dúinn na pictiúir seo a leanas a fhoilsiú:

Bailiúchán na Seanealaíne & na Seanailtireachta: 15, 27, 29, 36, 44

Leslie Ellison/Bailiúchán na Seanealaíne & na Seanailtireachta: 6

Bodleian Library, Oxford: 6, 9, 12, 13, 14, 18 22, 26, 28, 29, 30, 31, 34, 35, 37, 40, 44

Leabharlann Ealaíon Bridgeman: 39

Eton College, Windsor/ Leabharlann Ealaíon Bridgeman, Londain: 42

Louvre, Páras/Giraudon/Leabharlann Ealaíon Bridgeman, Londain: 35

Bailiúchán Príobháideach/Leabharlann Ealaíon Bridgeman: 32 Oifig na dTaifead Poiblí/

Leabharlann Ealaíon Bridgeman, Londain: 22

Lukasw Schuster/Bailiúchán Stáit Ealaíon Wavel, Kraków/Leabharlann Ealaíon Bridgeman, Londain: 20

Le caoinchead Mháistir agus Chomhaltaí Choláiste Corpus Christi, Cambridge: 23

Cartlann ET: 8, 10, 11, 16, 19, 21, 32, 38

Cartlann an Taiscéalaí: 6

Giraudon: 44

Michael Holford: 4, 24. 28

A Shoilse Ardeaspag Canterbury agus Iontaoibhithe Leabharlann Phálás Lambeth: 43

R J L Smith, Much Wenloch: 18

Maisitheoirí
Peter Bull: 26
Bill Le Fever: Clúdach, 5, 17, 25, 33, 41
James Field: 9, 18-19, 24, 34-35
Philip Hood: 10-11, 14, 15, 23, 36-37, 38, 42, 43
Richard Hook: 46-47
Kevin Maddison: 5
Nigel Longden: 4, 12-13, 16, 20, 21, 27, 28, 29
Páirtnéireacht Maltings: 30
Robert Price: 32
Nik Spender (Aontas na nEalaíontóirí): 7, 35
Treve Tamblin: 8, 38-39

Do: Barbara agus Jean

Eagarthóir: Julie Good
Dearthóir na Sraithe: Nick Leggett
Taighdeoirí Pictiúr: Christine Rista agus Claire Taylor
Ceannasaí Táirgíochta: Linda Spillane

Hamlyn Children's Books, Michelin House, 81 Fulham Road, Londain SW3 6RB, a chéadfhoilsigh i 1993
faoin teideal SEE THROUGH HISTORY: THE MIDDLE AGES
© 1993 Reed International Books Ltd
© 1996 Rialtas na hÉireann, an leagan Gaeilge

ISBN 1-85791-168-7

Gach ceart ar cosaint. Ní ceadmhach aon chuid den fhoilseachán seo a atáirgeadh, a chur i gcomhad athfhála, ná a tharchur ar aon mhodh ná slí, bíodh sin leictreonach, meicniúil, bunaithe ar fhótachóipeáil, ar thaifeadadh nó eile, gan cead a fháil roimh ré ón bhfoilsitheoir.

Computertype Tta a rinne an scannánchló in Éirinn
Arna chlóbhualadh sa Bheilg ag Proost Tta

Le ceannach díreach ón Oifig Dhíolta Foilseachán Rialtais, Sráid Theach Laighean, Baile Átha Cliath 2 nó ó dhíoltóirí leabhar.
Nó tríd an bpost ó Rannóg na bhFoilseachán, Oifig an tSoláthair, 4-5 Bóthar Fhearchair, Baile Átha Cliath 2.

An Gúm, 44 Sráid Uí Chonaill Uacht., Baile Átha Cliath 1

LIBRARIES NI

C700766245	
RONDO	20/09/2011
940.1	£ 9.00
CRU	

AN CLÁR

DEIREADH LE hIMPIREACHT

Faoin bhfeodachas thugadh na tiarnaí mionn go mbeidís umhal don rí agus ina chúiteamh sin bhronnadh an rí talamh agus cumhacht orthu. Is éard atá á léiriú sa radharc seo i dTaipéis Bayeux ná Harold Iarla Wessex ag tabhairt mionna dílseachta don Diúc Liam na Normainne.

Saol corrach a bhí ann i dtús na Meánaoise. Thit Impireacht na Róimhe as a chéile de dheasca ionsaithe na dtreibheanna Gearmánacha. Níos déanaí, ó dheireadh an 8ú, go dtí tús an 11ú haois lean na Lochlannaigh (féach an pictiúr) orthu ag ionsaí iarthar na hEorpa. Rinne na Maigiaraigh agus na Saraistíní ionsaithe freisin.

Tugtar an Mheánaois ar an tréimhse idir an 5ú céad A.D. agus an 15ú céad. Thosaigh sí le heachtra a chuir cor mór i stair an domhain: scrios na Róimhe, rud a d'fhág gur thit Impireacht na Róimhe as a chéile. Bíodh is gur mhair nósanna na Róimhe ar feadh tamaill tháinig córas nua ar a dtugtar an 'feodachas' chun cinn. Ba é an feodachas agus cumhacht na hEaglaise Críostaí an dá mhórghné a bhain le saol na Meánaoise.

IMPIREACHT NA RÓIMHE

I dtús na chéad aoise A.D. bhí sciar maith den Eoraip, de chósta na hAfraice Thuaidh, den Phailistín, den tSiria agus den Áise Bheag faoi cheannas na Róimhe. Bhí arm na Róimhe tar éis pobail na limistéar sin a chloí agus de réir a chéile rinneadh dlúthchuid den Impireacht díobh. De réir mar a leath an Impireacht leath modh maireachtála na Rómhánach: bóithre, bailte agus cathracha, daingin agus vilí, nósanna agus dlíthe na Róimhe, teanga (an Laidin) agus córas oideachais na Róimhe. Dá mbarr sin ar fad bhí pobal saibhir sofaisticiúil cathrach ar fud na hImpireachta.

IONSAITHE

Lagaigh ionsaithe treibheanna Gearmánacha Impireacht na Róimhe, rud a chuir athrú mór ar shaol mhuintir na hImpireachta. Ba chuid mhór dá saol ag na Gotaigh, ag na Vandail agus ag na Lombardaigh an chogaíocht.

Ba gheall le fianna iad sin agus taoiseach ar gach fiann. Ba é aidhm gach baill den fhiann a ainm féin a bheith in airde mar ghaiscíoch. Chuir siad isteach go mór ar shaol phobal na hImpireachta agus dá bharr sin b'éigean atheagar a chur ar an saol agus modhanna nua a cheapadh leis an saol a riar.

MODH NUA SAOIL

Ba é an t-athrú ba thábhachtaí a tháinig ar an saol ná gur thosaigh fir mhíleata, e.g. na taoisigh chogaidh Ghearmánacha, ag cur cosaint armtha ar fáil dá bpobal. Mar mhalairt air sin d'éilídís seirbhísí ón bpobal, go háirithe seirbhís chogaidh. I ngeall ar an saol corrach a lean ionsaithe na dtreibheanna Gearmánacha agus titim Impireacht na Róimhe bhí call le cosaint agus éileamh ag an bpobal uirthi. Léiríonn ar tharla sa Bhreatain tar éis gur aistarraingíodh saighdiúirí na Róimhe sa bhliain 442 A.D. an t-athrú saoil. Rinne na Sacsanaigh as tuaisceart na Gearmáine ruathair ar an mBreatain. Sa saol nua a bhí ag teacht chun cinn bhíodh gach pobal áitiúil dílis do thiarna cumhachtach áitiúil. Ceantar beag a bhíodh faoi smacht an tiarna agus bhíodh an pobal dílis dó le faitíos roimh a naimhde. 'Feodachas' a thugtar ar an gcineál sin eagair ar an bpobal.

AN FEODACHAS

'An tsochaí fheodach' a thugtar ar an gcineál sin sochaí ina raibh formhór na ndaoine ina dtuathánaigh bhochta agus iad ag saothrú na talún dóibh féin agus don tiarna talún áitiúil. Ceannairí míleata (ridirí) ba ea na tiarnaí talún a

bhíodh ag rialú na gceantar a bhí faoina smacht.

Bhain tábhacht mhór leis an dílseacht agus leis an tseirbhís sa tsochaí fheodach. Mhionnaídís siúd a mbíodh talamh acu go mbeidís umhal don té a thug dóibh é. Mhionnaíodh na tiarnaí go mbeidís umhal don rí nó don bhanríon a thug talamh agus cumhacht dóibh. Bhíodh searmanas speisialta mionnaithe ann chun go gcuimhneodh gach uile dhuine ar an ngníomh urraime is dílseachta. Léiríonn Taipéis Bayeux Iarla Harold Wessex ag glacadh móid dílseachta do Liam, Diúc na Normainne. Cuidíonn pictiúir mar seo leis na staraithe eolas a chur ar nósanna an fheodachais.

Is éard atá ar an mapa thíos ná pictiúr d'Impireacht na Róimhe mar a bhí i dtús na chéad aoise A.D. nuair ab fhairsinge í.

IMPIREACHT NA RÓIMHE

(An mapa thuas) Na limistéir a bhí i seilbh ciníocha áirithe agus Impireacht na Róimhe ag druidim chun deiridh.
(An mapa thíos) Tíortha iarthar na hEorpa tuairim is 1100 A.D. nuair ba ríthe nó banríonacha ba mhó a bhíodh á rialú.

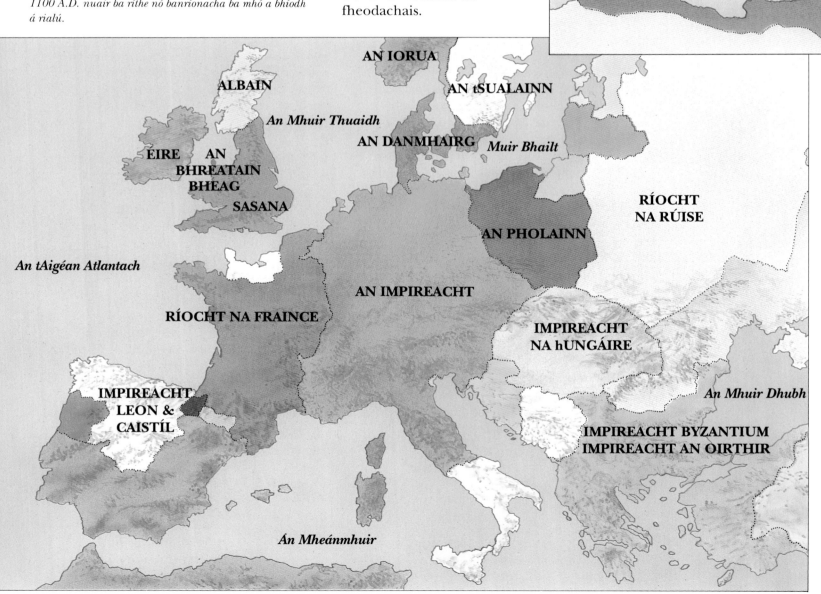

5

I dtús an tséú haois a tógadh Ardeaglais Hagia Sophia – foirgneamh a dhallfadh duine lena áilleacht – i gCathair Chonstaintín. Ba é Justinianus, impire Byzantium, a d'ordaigh go dtógfaí í.

Igcaitheamh bhlianta deiridh Impireacht na Róimhe in iarthar na hEorpa tháinig athrú mór ar chúrsaí. Sa 4ú haois d'éirigh an tImpire Constaintín as a bheith ag adhradh seandéithe págánacha na Róimhe agus chuaigh sé leis an gcreideamh nua, an Chríostaíocht, creideamh a tháinig chun cinn in oirthear na hImpireachta.

IOMPÚ AR AN gCRÍOSTAÍOCHT

Págánaigh ba ea na treibheanna Gearmánacha a d'ionsaigh Impireacht na Róimhe (d'adhraidís déithe a raibh baint acu leis an dúlra). Chuaigh misinéirí Críostaí i mbun na treibheanna sin a iompú ina gCríostaithe. Scríobh an manach Bede leabhar sa 7ú céad i Sasana i dtaobh leathadh na Críostaíochta. Mhínigh sé mar a bhaineadh na misinéirí leas as nósanna na bpágánach chun an Chríostaíocht a mhíniú. Thagair Bede do litir ón bPápa Greagóir I chuig Agaistín, misinéir a bhíodh ag craobhscaoileadh an chreidimh i measc Angla-Shacsanach Shasana. Ba éard a dúirt Greagóir I leis gan na seanteampaill phágánacha a leagan ach leas a bhaint astu ar mhaithe leis an gCríostaíocht.

EAGLAIS NA RÓIMHE

De réir mar a leath an Chríostaíocht mhéadaigh ar chumhacht na hEaglaise. Aithníodh go luath in iarthar na hEorpa gurbh í an Róimh ceanncheathrú na Críostaíochta mar gurbh ann a martraíodh Naomh Peadar is Naomh Pól. Ba é easpag na Róimhe (an Pápa) ionadaí Naomh Peadar ar an saol seo agus mar sin d'éiligh sé ceannas ar na Críostaithe uile. Níor géilleadh dá cheannas in Impireacht an Oirthir.

Tá taithí againn ar na crosa móra Ceilteacha atá againn anseo in Éirinn. Seo ceann de shaghas eile (ar clé) a tógadh in Ruthwell na hAlban tuairim na bliana 700 A.D. Sa tréimhse úd bhí a lán misinéirí Éireannacha agus Angla-Shacsanacha ag obair ag iompú daoine chun na Críostaíochta in Albain agus i dtuaisceart Shasana.

Leanbh á bhaisteadh. Bhaistí leanaí agus daoine a iompaíodh chun na Críostaíochta, mar a dhéantar i gcónaí.

CUMHACHT NA hEAGLAISE

Ón uair a caitheadh Impire deireanach na Róimhe as oifig sa bhliain 476 A.D. tháinig méadú mór ar chumhacht an Phápa. Mar shampla, chosain Greagóir I (590-604) pobal na hIodáile ar na Lombardaigh a d'ionsaigh iad. Riar sé arbhar orthu freisin, ceann de ghnóthaí an Impire roimhe sin. De bharr obair an Phápa, Greagóir I, bhí cumhacht pholaitiúil chomh maith le cumhacht spioradálta ag an bPápa as sin amach.

Shíl an Pápa agus na heaspaig go raibh an ceart acu cur isteach ar chúrsaí rialtais mar, dar leo, gur ó Dhia a tháinig an uile shaghas cumhachta. Mar chruthú air sin nuair a chorónaítí rí nó banríon nua ba ardeaspag nó a leithéid a chuireadh an choróin ar a gcloigeann le linn an tsearmanais. Ba é an Pápa féin a chorónaigh an tImpire Séarlas Mór sa bhliain 800. Léirigh searmanais mar sin, dar leis na daoine, gur thábhachtaí agus gur chumhachtaí an Eaglais ná ríthe agus banríonacha.

SAIBHREAS NA hEAGLAISE

Ba léir don phobal go raibh cumhacht agus saibhreas ag an Eaglais. Chuaigh na séipéil i gcion ar dhaoine mar ba bheag baile nach raibh séipéal ann agus é i bhfad níos airde agus níos galánta ná botháin na dtuathánach. Bhíodh mainistreacha agus ardeaglaisí móra in go leor ceantar agus an ailtireacht ba nua-aoisí le feiceáil iontu. Bhí siad maisiúil costasach. Tá caoi mhaith fós ar roinnt d'eaglaisí na Meánaoise, e.g. an Abbaye-aux-Hommes in Caen na Normainne agus Ardeaglais Speyer na Gearmáine. Bhí cosúlacht thútach shuarach ar thithe na ngnáthdhaoine lena n-ais agus ní raibh inchurtha leo ach caisleáin na n-uaisle is na ridirí.

FITE FUAITE LEIS AN SAOL

Bhí an creideamh fite fuaite leis an saol laethúil i gcaitheamh na Meánaoise, rud a chuir le cumhacht na hEaglaise. Bhíodh an pobal ag brath ar an Eaglais chun míniú a thabhairt dóibh ar thubaistí, e.g. stoirmeacha, galair, gorta, etc. Mhínítí a leithéidí go minic mar phionós ó Dhia. Dhéanadh an pobal iarracht fearg Dé a mhaolú trí ghuí agus trí shaol fíréanta naofa a chaitheamh.

Nuair a d'iompaigh muintir na hEorpa chun na Críostaíochta ar dtús bhain siad leas as teampaill phágánacha mar eaglaisí. Le himeacht aimsire thóg na Críostaithe teampaill áille dá gcuid féin. Is éard atá sa phictiúr thíos ná ardeaglais á tógáil.

7

AN TEAGHLACH

Igcaitheamh na Meánaoise ba bheag duine a mbíodh rogha aige maidir leis an obair a bheadh aige, an té a phósfadh sé, nó an cineál oideachais a bheadh air. Bhí gach uile shórt ag brath ar an teaghlach dár díobh é. Níorbh ionann beag ná mór an cineál saoil a bhíodh ag na tuathánaigh is a bhíodh ag na ridirí, ag na huaisle agus ag lucht na mbailte móra.

TÓGÁIL LEANAÍ

Bhaistí leanaí go luath tar éis a mbeirthe mar go mbíodh baol mór ann go bhfaighidís bás de ghalar éigin. Chuirtí diansmacht ar na gasúir. Ón am a bhídís deich mbliana d'aois bhíodh orthu a bheith páirteach in obair na ndaoine fásta, e.g. d'oibríodh gasúir na mbocht le bia a sholáthar don teaghlach. Ar altramas a chuirtí gasúir na n-uaisle; mhúintí nósanna na ridireachta dóibh agus cén chaoi le troid a dhéanamh ar muin capaill. Mhúintí do chailíní conas teaghlach mór a riar.

Pósadh de chuid na huasaicme. Ba mhór ag lucht na Meánaoise an pósadh mar go dtugadh sé dhá theaghlach le chéile. Bhí tábhacht ar leith leis i gcás daoine a raibh saibhreas agus cumhacht acu.

SLOINNTE

Go minic ba ar an gcuid ba thábhachtaí dá gcuid tailte a bhunaítí sloinnte na dteaghlach saibhir, ach ba ar a gceird nó ar an áit a mbíodh cónaí orthu a bhunaítí sloinnte na ndaoine bochta, e.g. Mac Gabhann nó d'ainmnítí díreach as a n-athair iad, e.g. Mac Diarmada.

NA MNÁ

Ba bheag rogha a bhíodh ag mná na Meánaoise. Chaitheadh go leor de na tuathánaigh mhná a bheith ag obair ar eastát an tiarna. Eisean a shocraíodh cén uair a phósfadh mná an eastáit, agus ar ndóigh, ní bhíodh cead acu ach fear de chuid an eastáit a phósadh. Thoileodh an tiarna go bpósfadh bean fear ó eastát éigin eile dá n-íocfaí é.

Ba bheag oideachas a chuirtí ar mhná ach mhúintí léamh do ghirseacha na n-uaisle corruair. Bean dá leithéid ba ea Heloise, Francach a mhair sa 12ú céad. B'eaglaiseach (a huncail) a thóg í. Bhí sé an-mhórálach aisti agus chuir sé oideachas uirthi.

Teaghlach tuathánach ina dteach féin. Bhíodh lá fada oibre ag na tuathánaigh agus bhíodh na tithe, an troscán, a gcuid éadaigh agus cibé giuirléidí beaga a bhíodh acu simplí pléineáilte praiticiúil.

TEAGHLAIGH SHAIBHRE

Bhíodh tithe na ridirí saibhre lán le daoine mar go mbíodh fonn ar dhaoine dul ag obair dóibh agus dar leo ba mhór an onóir é. Chomh maith leis sin ba mhaith an bealach é le saibhreas a chruinniú dóibh féin. Ba mhinic a d'fhaigheadh searbhóntaí dílse éadaí, capaill chogaidh dhaora nó eile mar bhronntanais.

Bhíodh go leor daoine eile ina leithéidí de theaghlaigh, e.g. taistealaithe a bhíodh ar thóir lóistín, abhlóirí, agus ceoltóirí, searbhóntaí – cócairí, giollaí capall, seabhcóirí (i mbun fabhcún fiaigh), agus tuilleadh fós.

'Agus é in aois a sheacht mbliana thug a athair ar láimh é do ridire uasal eile … faoina chúram siúd d'fhoghlaim sé conas marcaíocht ar muin capaill agus sciath agus lansa leis. D'fhoghlaim sé marcaíocht ar lánluas agus chaith sé uaireanta fada ag pionsóireacht, ag iomrascáil, ag caitheamh léime, ag caitheamh na sleá agus ag seilg.'

—— *Gottfried von Strassburg* ——

TEAGHLAIGH BHOCHTA

Níorbh ionann chor ar bith tithe na mbocht. Ba bheag duine a bhíodh sna tithe sin mar go dtéadh sé dian ar na tuathánaigh go leor bia a sholáthar dá gclann. Dá mbeadh tuathánach le pósadh chaitheadh sé a dhóthain talún a bheith aige le clann a thógáil. Ba san aon seomra amháin a chodlaíodh muintir an tí.

Féach an difríocht mhór atá idir na héadaí atá á gcaitheamh ag na daoine sa phictiúr seo as leabhar maisithe de chuid na Meánaoise agus na héadaí atá á gcaitheamh ag na tuathánaigh ar leathanach a hocht.

9

CÚRSAÍ ÉADAIGH

Armas teaghlaigh thábhachtaigh i bhFlórans léirithe ar sciath. Ní bhíodh i dteideal armas a bheith acu ach teaghlaigh shaibhre chumhachtacha mar gur chomhartha gradaim é.

Igcaitheamh na Meánaoise ghléasadh daoine de réir a gcéimíochta i measc an phobail. Gléasadh simplí a bhíodh ar na tuathánaigh ach bhíodh na daoine saibhre sna bailte móra gléasta go galánta. Ba é an t-ábhar (agus na seoda) ab fhearr a bhíodh i ngléasadh na n-uaisle.

ÉADAÍ NA mBOCHT
Dhéanadh na daoine bochta a gcuid éadaigh féin trí shníomh agus fíodóireacht a dhéanamh ina dtithe. Tuineach a théadh leath bealaigh síos feadh na sliasaide agus osáin nó loirgneáin a chaitheadh na fir. Chaithidís caipisín freisin agus eireaball fada as, a d'fhéadfaí a chasadh thart ar an muineál mar a bheadh scaif ann. Chaitheadh na mná tuineach fhada. Bhíodh na leanaí gléasta ar nós na ndaoine fásta.

ÉADAÍ NA nDAOINE SAIBHRE
Ba bheag athrú a thagadh ar stíl ghléasta na ndaoine bochta ach níorbh ionann cás don uasaicme. Dar le croiniceoir amháin ón Normainn tháinig athrú mór ar chúrsaí faisin tar éis ionradh na Normannach ar Shasana sa bhliain 1066. Rinne sé cur síos ar an tionchar a bhí ag na Normannaigh ar fhaisean na nAngla-Shacsanach, e.g. gruaig dhlúthbhearrtha na Normannach ar léir é ar thaipéis Bayeux.

Bhíodh éadaí na ndaoine saibhre ar fud na hEorpa an-ghalánta, e.g. ábhar mar shíoda nó veilbhit a bhíodh iontu. Brait nó clócaí a chaitheadh idir fhir is mhná, agus ba mhinic scoilt san éadach amuigh chun go bhfeicfí an t-éadach ar dhath eile istigh.

ÉADAÍ GALÁNTA
Tá tábhacht an ghléasta i gcaitheamh na Meánaoise le tuiscint as scéal faoi Shéarlas Mór a scríobh a shéiplíneach, Einhard, sa 9ú haois. De réir na tuairisce chuaigh cúirteoirí Shéarlais Mhóir go dtí an Iodáil le héadaí áille a cheannach, éadaí a bhí maisithe le cleití péacóg, craicne piasún, síoda, ribíní agus fionnadh (eirmín). Chuaigh siad ar cuairt chuig an impire agus iad gléasta go galánta ach bhí an t-impire míshásta lena ngalántacht mar nach raibh maisiú ar bith air féin. Chun ceacht a mhúineadh dá chuid cúirteoirí d'ordaigh sé dóibh dul ag fiach in éineacht leis agus iad gléasta mar a bhí siad. Stróiceadh a gcuid éadaigh, ar ndóigh, ach níor stróiceadh gléasadh simplí Shéarlais Mhóir. Ar an mbealach sin thug sé le fios dóibh nár den bhéas é dóibh gléasadh níos galánta a bheith orthu ná mar a bhí ar an impire!

Mná ag sníomh snátha agus ag cardáil olla le héadach a dhéanamh. De láimh a dhéantaí éadach i gcaitheamh na Meánaoise agus dar le muintir na haimsire sin ba obair do mhná éadach a dhéanamh.

Éadach simplí a chaitheadh na manaigh is na mná rialta lena thabhairt le fios gur ag cuimhneamh ar Dhia a bhídís seachas ar nithe saolta. Aibídeacha fada olla pléineáilte a chaithidís.

Uaireanta dhéantaí dlíthe chun bac a chur ar na gnáthdhaoine éadaí ar nós éadaí na huasaicme a chaitheamh. Tharla a leithéid i Sasana sa bhliain 1463 (Na Dlíthe Costais). De réir na ndlíthe sin ní bheadh cead ag na hoibrithe éadach a chaitheamh ar bhain luach níos mó ná dhá scilling an tslat leis. Dar leis leis na huaisle, ní raibh sé cuí ná ceart go mbeadh éadach geal – dearg, gorm nó uaine – á chaitheamh ag aon dream eile seachas iad féin.

ÉADAÍ OIBRE

Ba léir ón gcineál éadaigh a chaitheadh daoine ní hamháin cé mhéad cumhachta nó saibhris a bhí acu, ach cén cineál oibre a bhíodh ar bun acu freisin. Aibídeacha a chaitheadh sagairt na n-ord agus mná rialta lena thabhairt le fios cén t-ord lenar bhain siad. Aibídeacha bána a chaitheadh na Cistéirsigh (na Manaigh Bhána a thugtaí orthu), agus aibídeacha dubha a chaitheadh na Beinidictigh (na Manaigh Dhubha). Ba mhinic a ghléasadh dreamanna eile de réir a gcuid oibre nó a gcreidimh.

ÉADAÍ AGUS CREIDEAMH

Bhíodh éadaí speisialta ar dhaoine go minic nuair a théidís ar oilithreacht chuig scrín naoimh mór le rá éigin. Róbaí simplí olla a chaitheadh na hoilithrigh agus bhíodh caimíní ar iompar acu. Bhíodh cuid acu cosnochta. Chaithidís suaitheantas ar an turas ar ais dóibh á thabhairt le fios cén scrín ar a raibh siad tar éis turas a thabhairt. Cros ar a róba a chaitheadh an té a bheadh ar oilithreacht go hIarúsailéim agus bhíodh slám duillí pailme leis agus é ag filleadh.

Chaitheadh na searbhóntaí agus na ridirí a bhíodh ag obair do na tiarnaí cineál éadaigh a thabharfadh le fios cé leo ar thacaigh siad, i.e. éide armais an tiarna.

Tiarna, bantiarna, ceoltóirí agus searbhónta atá sa phictiúr seo. Chaitheadh na huaisle agus a dteaghlach saol galánta, nósúil – saol a bhí lomlán le foirmiúlacht. Chuirtí a ngasúir chuig teaghlaigh eile lena dtógáil.

11

CAITHEAMH AIMSIRE

Abhlóir ag geáitsíocht ag iarraidh spraoi a dhéanamh don Rí. Fianaise a leithéid seo de phictiúr ar an gcineál siamsaíochta a bhíodh ag daoine i gcaitheamh na Meánaoise.

Turnaimint faoi lánseol agus beirt ridirí ag coimhlint le chéile. Bhíodh an-tóir ar thurnaimintí i gcaitheamh na Meánaoise cé nach mbíodh an Eaglais róshásta leo.

Igcás go leor daoine ba bheag difríocht a bhíodh idir obair agus caitheamh aimsire. Bhíodh cuspóir eile seachas siamsaíocht leis an gcaitheamh aimsire, i.e. bia a chur ar fáil nó óganaigh a thraenáil i gcúrsaí cogaidh.

CAITHEAMH AIMSIRE NA mBOCHT

Bhíodh caitheamh aimsire na dtuathánach bocht bunaithe ar an talmhaíocht. Nuair a bhíodh an fómhar á bhaint bhíodh fleá ag an tiarna leis na hoibrithe a spreagadh agus a saothar a chúiteamh leo. Chuireadh an tiarna a thuilleadh fleánna ar siúl nuair a bhíodh an grán curtha i dtaisce. Ba mhinic féachaint nirt ag na fleánna sin, e.g. ualach féir nó tuí a chrochadh ar chos corráin, agus muca, tuí, nó adhmad ann mar dhuaiseanna.

Bhí na tuathánaigh an-tugtha don phóitseáil mar chaitheamh aimsire. Mharaídís fianna, coiníní, agus éanlaith de gach saghas, go fiú na cinn ba lú.

SNA BAILTE BEAGA

Bhain tábhacht le cluichí agus le damhsa i saol na mbailte beaga. D'imrítí cluichí cosúil le peil agus haca ach gur ghairbhe iad agus gur lú rialacha a bhain leo ná mar a bhaineann inniu. Dhéantaí coraíocht ar fud na hEorpa go léir. Bhíodh damhsaí agus tionlacan píob agus fidleacha leo á reáchtáil i gclóis na séipéal agus Lá Bealtaine bhíodh nósanna speisialta ann, e.g. damhsa thart ar Chrann Bealtaine.

TURNAIMINTÍ

Ba iad na turnaimintí agus an fiach an dá chaitheamh aimsire ba mhó ag na ridirí agus ag an uasaicme. Ar nós chaitheamh aimsire na mbocht bhíodh cuspóir dáiríre ag baint leo sin, i.e. fir a thraenáil chun cogaíochta.

I dtús báire ba chineál catha idir ridirí a bhíodh sna turnaimintí. I gcaitheamh an 12ú céad thaistealaíodh ridirí i bhfad chuig na turnamaintí. D'fhaigheadh na buaiteoirí

duaiseanna móra: capaill chogaidh, cultacha cruach agus airgead go fiú. Bhídís ag súil, ar ndóigh, go dtabharfadh tiarna saibhir faoi deara iad agus go bhfostódh sé iad, rud a thabharfadh deis dóibh ar a thuilleadh saibhris a ghnóthú.

Is iomaí ridire a maraíodh sna turnaimintí céanna, e.g. maraíodh breis is seasca i dturnaimint amháin láimh le Köln. Níos déanaí, giústáil – iomaíocht idir beirt ridirí ar muin capaill – a bhíodh ar siúl, agus níor bhain an chontúirt chéanna léi. B'iontach agus ba thaibhseach an taispeántas iad na comórtais ghiústála agus thagadh na sluaite ó chian is ó chóngar le breathnú orthu.

LAETHANTA SAOIRE
Bhíodh laethanta saoire Eaglaise ann ar fhéilte áirithe. Ní dhéantaí aon obair ar na laethanta sin ach bhíodh dualgas Aifrinn ann agus ba mhinic ceiliúradh speisialta ann, e.g. mórshiúlta ar Fhéile Chorp Chríost. Bhíodh fleá agus féasta ann agus drámaí ina mbíodh cleamairí (aisteoirí a mbíodh mascanna orthu) idir an Nollaig agus Lá Nollag Beag. Chuirtí aontaí ar siúl freisin ar fhéilte áirithe.

Bhíodh iliomad cineálacha oirfideach ar na haontaí, e.g. trúbadóirí (ceoltóirí a bhíodh ag taisteal ó áit go háit), lámhchleasaithe, gleacaithe, mangairí. Bunaithe ar an bpágántacht ach go raibh cló Críostaí orthu a bhí cuid mhaith de na searmanais a bhaineadh agus a bhaineann fós le féilte na naomh, e.g. na tinte cnámh oíche Fhéile Sin Seáin (23 Meitheamh).

Tá léiriú thuas ar an seó taibhseach a chuireadh oirfidigh fáin – lámhchleasaithe, gleacaithe, ceoltóirí agus a leithéidí – ar fáil nuair a thugaidís cuairt ar bhailte agus ar shráidbhailte.

Duine uasal ar muin capaill ag fiach agus fabhcún ar a rosta aige. Chaitheadh uaisle na Meánaoise, idir fhir is mhná, a lán airgid ag ceannach agus ag traenáil fabhcún. Dhéanaidís fiach ar éin agus ar ainmhithe beaga leo.

AN FHIANAISE?
Tá neart fianaise ag na staraithe maidir le caitheamh aimsire na Meánaoise. Fianaise scríofa cuid di. Tá cuntais scríofa ar fáil maidir le híocaíochtaí a dhéanadh ríthe agus tiarnaí maidir le fabhcúin, madraí fiaigh, oirfidigh. Tá fianaise na healaíne ann freisin. D'imríodh daoine ficheall, táiplis mhór agus dalladh púicín, cluichí atá ar marthain go fóill.

BIA NA MEÁNAOISE

Níor mhar a chéile bia na Meánaoise agus bia an lae inniu. Cé go saothraíodh muintir na tuaithe a gcuid bia féin bhíodh an gorta ag bagairt orthu uaireanta. Bhíodh réimse bia níos leithne ag an dream saibhir. Ba mhór ag na daoine na fleánna a bhíodh acu agus ba ócáidí móra iad i saol na ndaoine.

CINEÁLACHA BIA

Tá fianaise na seandálaíochta againn maidir le cúrsaí sláinteachais is réimsí bia agus tá leabhair oideas cócaireachta ann ó aimsir na Meánaoise. Tá fianaise na péintéireachta, na litreacha agus na leabhar againn freisin.

Trealamh cistine aimsir na Meánaoise. Ar bhior a róstaí feoil. Bhruití cuid den fheoil, glasraí, etc. i bpotaí a bhíodh crochta os cionn na tine.

An chistin i gcaisleán mór. I gcomórtas le cistineacha an lae inniu ní bhíodh cistineacha na Meánaoise glan. Bhíodh drochbholadh uathu uaireanta agus síorthorann agus teas iontu.

Chuireadh na daoine go leor luibheanna agus spíosraí leis an mbia agus é á réiteach acu, e.g. piobar, cróch, cainéal, cúimin. Fáth amháin a bhí leis sin ná chun blas an bhia a cheilt dá mbeadh sé leathlofa. Ceannaithe a thugadh leo ón Domhan Thoir na spíosraí úd agus bhí siad costasach. Ba bheag leasaithe a d'fhéadfaí a dhéanamh ar bhia san am agus mar sin thiocfadh clúmh liath ar fheoil agus ar tháirgí bainne gan rómhoill. Ba mhinic an fíon ag cailleadh a bhrí agus mar sin d'ití sinséar nó mil leis.

Putóg Dhubh Muice Mara:
Measctar min choirce, salann, piobar agus sinséar le fuil agus le saill na muice mara agus cuirtear an t-iomlán sa phutóg. Bruitear an mhuc mhara ansin agus riartar í.
—— *Oideas Cócaireachta ón 15ú céad* ——

Is iomaí sin cineál ainmhí a ndéantaí fiach air ar mhaithe lena ithe, e.g. bhíodh ealaí, corra éisc, péacóga, míolta móra, muca mara agus éin bheaga mar bhia ag na féastaí a bhíodh ag an dream saibhir.

Níor mhórán rogha a bhíodh ag na tuathánaigh. Ba éard a bhíodh le hithe acusan ná cabáiste, cainneanna, oinniúin nó glasraí eile, leite mine coirce agus arán seagail.

FUÍLLEACH AGUS GORTA

A gcuid bia féin a bhíodh ag na tuathánaigh ach go mbíodh orthu lena chois sin bia a chur ar fáil don tiarna ar leis an talamh. Bhíodh an bia gann acu go háirithe i gcaitheamh an gheimhridh. Rinne Laylard, file Sasanach, cur síos ar shaol crua na dtuathánach. De réir a thuairisce siúd ní bhíodh acu i gcaitheamh an gheimhridh ach arán a dhéantaí as pónairí agus as coirce mar aon le glasraí, agus corruair bheadh uibheacha agus sláimín cáise acu.

Bhíodh sé ina ghorta corruair. Bhí drochaimsir ann i dtús an 14ú céad agus roinnt droch-fhómhar ceann i ndiaidh a chéile. Tháinig galair ar na caoirigh agus ar an eallach. Bhí na bochtáin ar an ngannchuid. Ní raibh cur in aghaidh galar sna daoine agus is iomaí sin duine a cailleadh leis an ngorta nó le galar.

FÉASTAÍ

Bhain tábhacht mhór le féastaí le linn na Meánaoise. Chuirtí ar bun iad do lucht bainte an fhómhair gach bliain. Chuireadh na tiarnaí béile ar fáil amanna eile freisin, e.g. leann agus arán, nó feoil agus

Tuairgnín agus moirtéar. Chun an bia a mheilt is a mhionú sa mhoirtéar a d'úsáidtí an tuairgnín. Bhíodh gléas dá leithéid i ngach teach a bhain leis an dream saibhir.

piseanna. Bhíodh féastaí ag na huaisle go rialta freisin, féastaí a mbaineadh galántacht agus foirmiúlacht leo, e.g. shéideadh trumpadóir an trumpa lena thabhairt le fios go raibh tús le hithe; chuirtí gach duine ina shuí ag an mbord de réir a chéimíochta; riartaí an bia ar bheirt in éineacht in aon soitheach amháin agus roinneadh gach beirt acu an bia eatarthu.

BIA AGUS CREIDEAMH

Ní itheadh na manaigh ná na mná rialta bia saibhir lena thabhairt le fios nach raibh suim acu i gcúrsaí saolta ach go raibh a n-intinn dírithe ar Dhia. Scríobh Naomh Bearnard, an té a bhunaigh Mainistir Chistéirseach Clairvaux sa 12ú céad, litir inar mhol sé glasraí, pónairí, arán agus uisce mar chothú dá mhanaigh. Dhéanadh Críostaithe na Meánaoise troscadh agus tréanas go tráthrialta ar ordú na hEaglaise. Ní bhíodh cead acu feoil a ithe ar an Aoine. Iasc a d'ithidís ina háit. Mhair an nós seo in Éirinn go dtí le gairid.

Fleá sa chaisleán. Ba bhreá le huaisle na Meánaoise fleánna agus féastaí. Ag an mbord uachtarach in éindí le tiarna an chaisleáin agus a bhean a bhíodh na haíonna tábhachtacha.

15

OBAIR NA TUAITHE

Leathanach as leabhar Domesday. Tuairisc ar úinéireacht na talún i Sasana a chuir an rí, Liam I, á dhéanamh sa bhliain 1086 atá ann. Tá cur síos ann ar an gcineál feirmeoireachta a bhíodh ar siúl freisin.

Ní hé amháin go gcaitheadh na tuathánaigh bia a chur ar fáil dóibh féin, ach chaithidís cuid de a thabhairt don tiarna ar leis an talamh.

Bhíodh formhór mór mhuintir na tuaithe ag gabháil don talmhaíocht ar fheirmeacha beaga. Ach le himeacht aimsire dhírigh cuid de na feirmeoirí ar bhrabach a dhéanamh seachas díreach bia a chur ar fáil dóibh féin amháin.

CÚRSAÍ TALMHAÍOCHTA

Bhíodh a lán lán daoine ag obair ar na feirmeacha i rith na Meánaoise. Bhíodh stráicí beaga talún ag na tuathánaigh ar a saothraídís barra bia dóibh féin. Bhíodh cearca acu freisin agus caora nó bó, b'fhéidir. Chuirtí eorna agus cruithneacht ar eastáit na dtiarnaí. Nuair a bhíodh an barr bainte buailte thugtaí go dtí an muileann é lena mheilt ina phlúr. Thógtaí caoirigh ar mhaithe le holann, ba ar mhaithe lena gcuid bainne agus muca ar mhaithe lena gcuid feola.

Tháinig athruithe áirithe ar chúrsaí feirmeoireachta sa 13ú céad. Rinneadh speisialtóireacht in áiteanna, i.e. caora fíniúna sa Fhrainc, rís sa Lombaird agus leannlusanna feadh na Réine.

Níor fhan focal i bpluc an aba nuair a dúradh leis go raibh muileann eile fós tógtha … mhionnaigh sé nach rachadh greim ina bhéal go leagfaí é.

Jocelin de Brakelond

NA MUILLEOIRÍ

Bhíodh na muilleoirí go maith as i gcomórtas le daoine eile mar nach mbíodh aon dul as ach iad a íoc. Séard a tharlaíodh ná go gcoinnídís cuid den arbhar mar chúiteamh as a gcuid muilleoireachta. Cáil an ghadaí a bhíodh orthu mar gur mhinic a thógaidís breis is a gceart.

DOLAÍ MUILINN

Ba mhinic gur leis an tiarna féin an muileann agus nach mbíodh an dara rogha ag na tuathánaigh ach a gcuid arbhair a mheilt i muileann an tiarna. Ar nós na muilleoirí bhíodh sciar áirithe den arbhar ag dul don tiarna. Ba chuid thábhachtach dá theacht isteach an dola sin. Níorbh ionadh ar bith nach gceadaíodh na tiarnaí ach muilte dá gcuid féin ar an talamh acu féin.

FOINSÍ CUMHACHTA

An t-uisce agus an ghaoth an dá fhoinse cumhachta a bhí ann aimsir na Meánaoise. D'úsáidtí muilte uisce agus muilte gaoithe le harbhar a mheilt ach le himeacht aimsire bhaintí leas astu chun obair eile a dhéanamh, e.g. d'úsáidtí muilte uisce chun páipéar a dhéanamh. D'úsáidtí muilte uisce freisin (muilte úcaireachta a thugtaí orthu) mar chuidiú i bpróiseas déanta an éadaigh. I ndeireadh an 14ú haois a tógadh an chéad mhuileann páipéir sa Ghearmáin.

I ndeireadh an 12ú haois a tógadh na chéad mhuilte úcaireachta i Sasana agus bhí a lán acu ann faoin 14ú haois. Mealladh lucht tionsclaíochta chun tionscal a bhunú ar fud na tíre ar bhruacha aibhneacha meara.

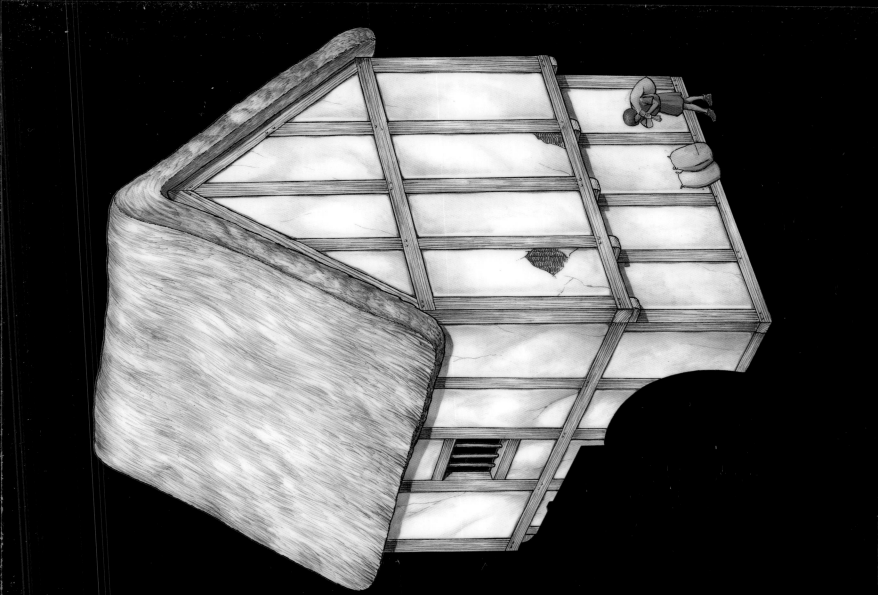

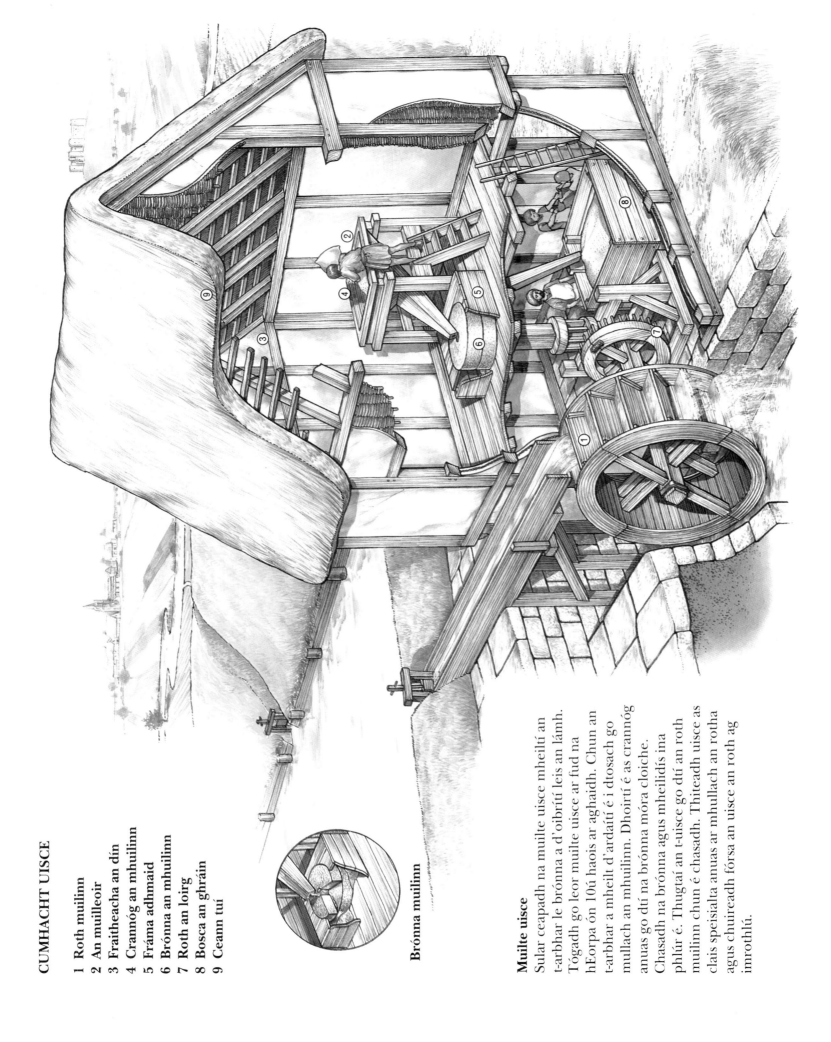

CUMHACHT UISCE

1 Roth muilinn
2 An muilleoir
3 Fraitheacha an dín
4 Crannóg an mhuilinn
5 Fráma adhmaid
6 Brónna an mhuilinn
7 Roth an loirg
8 Bosca an ghráin
9 Ceann tuí

Brónna muilinn

Muilte uisce

Sular ceapadh na muilte uisce mheiltí an t-arbhar le brónna a d'oibrítí leis an lámh. Tógadh go leor muilte uisce ar fud na hEorpa ón 10ú haois ar aghaidh. Chun an t-arbhar a mheilt d'ardaítí é i dtosach go mullach an mhuilinn. Dhoirtí é as crannóg anuas go dtí na brónna móra cloiche. Chasadh na brónna agus mheilidís ina phlúr é. Thugtaí an t-uisce go dtí an roth muilinn chun é chasadh. Thiteadh uisce as clais speisialta anuas ar mhullach an rotha agus chuireadh fórsa an uisce an roth ag imrothlú.

TIARNAÍ & TUATHÁNAIGH

Caora fíniúna á mbaint. Bhíodh ar na tuathánaigh an obair sin (agus a lán eile) a dhéanamh do thiarna an mhainéir mar chuid de na seirbhísí oibre a bhí dlite don tiarna.

I rith na Meánaoise bhíodh an tuath ar fad roinnte ina heastáit mhóra a bhíodh faoi smacht ag tiarnaí. Ba iad na tuathánaigh a bhíodh ina gcónaí ar na heastáit a dhéanadh obair na n-eastát do na tiarnaí.

TIARNAÍ MÓRA

Ní raibh aon teorainn leis na cumhachtaí a bhí ag na ceannairí láidre a bhí in ann an pobal a chosaint i gcaitheamh na Luath-Mheánaoise. Bhí cúrsaí trína chéile an uair úd tar éis gur thit Impireacht na Róimhe as a chéile in iarthar na hEorpa. *Dominus*, focal Laidine a chiallaíonn tiarna, a thugtaí ar an gceannaire sin.

Ba mhinic a ghabhadh na tiarnaí úd talamh agus an chumhacht a bhíodh ag rith leis as a stuaim féin, e.g. sin é a rinne Fulk Nerra, Cunta Anjou na Fraince san 11ú céad. Níos déanaí sa Mheánaois bhí sé de nós ag ríthe agus ag banríonacha talamh a thabhairt do thiarnaí cumhachtacha ar choinníoll go gcuirfidís saighdiúirí ar fáil dóibh aimsir chogaidh.

Rialaigh na tiarnaí a gcuid eastát. D'éirigh a lán acu saibhir de bharr ceannas a bheith acu ar tháirgí na n-eastát, rud a d'fhág go mbíodh ardsaol acu. Os a choinne sin saol ainnis a bhíodh ag na tuathánaigh.

Pictiúr de shaighdiúirí ag tabhairt ainmhithe feirme chun siúil as baile beag. Ba mhinic muintir na mbailte beaga ar an ngannchuid mar go gcaithidís saighdiúirí a chothú, e.g. bailte beaga na Fraince i gcaitheamh an Chogaidh Céad Bliain.

Pictiúr ón Meánaois de bheacha meala ag dul isteach i gcoirceoga. Ó tharla gan aon siúcra a bheith ar fáil i gcaitheamh na Meánaoise bhíodh an-tóir ar mhil na mbeach.

NA hEASTÁIT MHÓRA

Theastaigh ó na tiarnaí a bheith neamhspleách ar chách. Sa 9ú haois d'ordaigh Séarlas Mór go mbeadh gaibhne, gréasaithe, déantóirí gallúnaí, báicéirí, agus ceardaithe eile ar gach ceann dá chuid eastát.

Ina mainéir a bhíodh na heastáit roinnte i Sasana agus ba fheidhmeannaigh de chuid an tiarna, an ríbh agus an báille, mar shampla, a bhíodh ina mbun. Riaraidís siúd obair ar dhaoine agus choinnídís cuntas ar chúrsaí airgid. Bhíodh a chuid nósanna féin ar gach uile eastát maidir leis an mbaint a bheadh idir an tiarna agus a thionóntaí. Ó bhéal a chuirtí na nósanna sin ó ghlúin go glúin seachas iad a scríobh.

SAOR AGUS NEAMHSHAOR

Dhá aicme tuathánach a bhíodh ann de réir dlí aimsir na Meánaoise – dream a bhí saor agus dream eile nach raibh. Seirfigh ba ea na tuathánaigh neamhshaora agus bhíodh smacht iomlán ag an tiarna orthu. Níor leo an talamh ar a mbídís ag obair ná níor leo an t-eallach ach oiread. Bhí nós ann nuair a chailltí seirfeach go gcaití an t-ainmhí ab fhearr a thabhairt don tiarna. *Heriot* a thugtaí ar an nós sin i mBéarla.

D'fhéadfadh seirfeach é féin a shaoradh ach airgead a thabhairt don tiarna nó dul le sagartóireacht nó teitheadh go dtí baile mór chomh fada is nach mbéarfaí air. Dá mbéarfaí chuirfí pionós trom air. D'éirigh na tuathánaigh bréan den chóras sin agus d'éirigh siad amach i Sasana sa bhliain 1381. Cloíodh iad gan mórán dua.

NA hOIBRITHE

Ba é príomhdhualgas na dtuathánach ná obair an eastáit a dhéanamh. Tá cuntais scríofa againn i dtaobh a gcuid oibre. Dhéanaidís treabhadh, fuirseadh, bhainidís an féar, bhainidís na barra agus chuiridís isteach iad, nídís na caoirigh, d'iompraídís earraí ó áit go chéile ar an eastát i gcairteacha capaill. 'Seirbhísí saothair' a thugtaí ar a leithéidí. Tá cuntas againn ó mhainistir sa Ghearmáin go mbíodh ar thuathánaigh de chuid eastát na mainistreach bairillí fíona a iompar ó na fíonghoirt go dtí an mhainistir.

I gcaitheamh an 13ú haois rinne go leor tiarnaí a ndícheall a gcuid eastát a dhéanamh níos éifeachtaí. Scríobhadh leabhair chomhairlithe chuige sin, e.g. *Hosebondrie* le Walter as Henley. Tá tuairisc sna leabhair sin ar na hoibrithe a bhíodh ar na heastáit, e.g. treabhdóirí, cailíní déirí, etc. agus ar an obair a bhíodh le déanamh acu.

Tuathánach ag baint an arbhair le corrán. Bhíodh call le go leor oibrithe i gcaitheamh na Meánaoise le feirmeoireacht a dhéanamh, murab ionann is inniu tráth a bhfuil trealamh den scoth againn chun an cineál sin oibre a dhéanamh.

19

AN RIDIREACHT

Ba chuid thábhachtach den searmanas le duine a cheapadh ina ridire é an claíomh.

Fear óg á bhualadh sa ghualainn le bos claímh lena thabhairt le fios gur ridire é as sin amach.

Bhain gradam mór leis na ridirí le linn na Meánaoise. Mar go raibh an saol corrach bhí géarghá le lucht cosanta. Saighiúirí gairmiúla ba ea na ridirí agus léirigh an urraim mhór a thugtaí dóibh an tábhacht a bhain leo.

GAISCÍGH AR MUIN CAPALL

Mar mharcshlua a throideadh na ridirí agus ba é an marcshlua an chuid ba thábhachtaí den arm i gcaitheamh na Meánaoise. Bhíodh a gcuid cultacha cruach, a gcuid trealaimh agus a gcuid capall cogaidh an-chostasach, e.g. £85 an praghas ar chapall cogaidh ar aontaí in Champagne sa 13ú céad. Chaithfeadh saighdiúir coise a bheith ag obair ar feadh 32 bhliain sula mbeadh an t-airgead aige chun a leithéid de chapall a cheannach.

Ridire agus crosbhoghdóir. Ar muin capaill a théadh na ridirí sa chath. Coisithe ba ea an chuid eile den arm.

DUL LE RIDIREACHT

Chuirtí clann mhac na ridirí ar altramas ag ridirí eile agus iad in aois a dhá bhliain déag le scileanna na ridireachta a fhoghlaim. Chuireadh na scuibhéirí úd, mar a thugtaí orthu, cóir ar chapaill an ridire agus dhéanaidís cúram dá chulaith chruach. Ina theannta sin d'fhoghlaimídís le troid a dhéanamh ar muin capaill agus cúram a dhéanamh de na hairm. Bhíodh tábhacht ar leith le scil eile: bheith in ann bia a riar ar an tiarna nuair a shuíodh sé chun boird.

Faoin 13ú céad bhíodh searmanais mhóra ann le ridirí a dhéanamh d'fhir óga. An oíche roimh an searmanas bheadh folcadh speisialta ag an té a ndéanfaí ridire de an lá dár gcionn agus chuireadh sé éadaí bána air féin. Chaitheadh sé an oíche sin ag guí sa séipéal agus a chulaith chruach agus a chlaíomh ar an altóir. Ar maidin d'éisteadh sé an tAifreann agus chuirtí an chulaith chruach air. Dhéantaí a chuid arm a bheannú ansin chun a thabhairt le fios gurbh i seirbhís Dé a bheadh an ridire nua. Leagadh ridire a lámh nó a chlaíomh ar a ghualainn mar chríoch ar an searmanas. Mhionnaíodh an ridire nua é féin a iompar de réir rialacha an niachais.

'Lá áirithe faoi Cháisc tháinig Rí Artúr agus lucht a chúirte le chéile. Ní fhacthas a leithéid de chúirt riamh. Bhí go leor ridirí cróga misniúla ann.'

Chrétien de Troyes, Erec et Enide

Pictiúr de ridire ar muin capaill. Ba chuid thábhachtach den traenáil a chuirtí ar ridirí é a bheith in ann marcaíocht agus troid ar muin capaill. Mhúintí dóibh freisin conas cúram a dhéanamh dá gcapaill.

AN NIACHAS (RIDIREACHT)

De réir tuairisce a scríobh easpag mór le rá a raibh cónaí air sa Fhrainc sa 12ú céad, bhain tréithe áirithe leis an ridire, e.g. urraim don Eaglais, trua do na bochtáin agus misneach. Ba iad na tréithe sin na hidéil a bhain leis an niachas. Mhionnaíodh na ridirí a bheith cúirtéiseach le daoine, go háirithe le mná, agus beart a dhéanamh de réir a mbriathra. Mhionnaíodh siad freisin fónamh don tiarna a rinne ridirí díobh.

Tá fianaise ar an niachas le fáil i ndánta agus i seanscéalta na linne sin. Ar na cinn is cáiliúla tá na seanscéalta faoi Rí Artúr agus a chuid ridirí a scríobh Chretien de Troyes sa Fhrainc sa dara céad déag.

Dála an scéil, is ón bhfocal Fraincise ar ridire, *chevalier*, a thagann an focal Béarla *chivalry*.

AIRM

Claíomh agus lansa (sleá a bhíodh cúig troithe déag ar fad) na gléasanna troda a bhíodh ag an ridire. D'fhéadfaí an lansa a chaitheamh leis an namhaid nó ruathar a thabhairt faoi agus é a bhrú as an diallait leis. Bhíodh an-mheas ar chlaimhte maithe agus mhaisítí le seoda iad. Ba mhinic a chuirtí taisí na naomh isteach in úll an chlaímh. Bhaintí leas as tuanna catha agus as máis freisin.

CULTACHA CRUACH

Mar chosaint a chaití cultacha cruach. Rinneadh athruithe orthu de réir mar a tháinig athruithe ar na hairm agus ar na modhanna troda. San 11ú céad éide mháilleach a chaití ach ón 14ú céad ar aghaidh cathéide phláta a chaití mar gur mhó an chosaint a bhí inti.

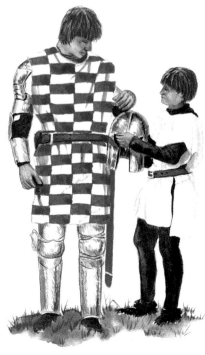

Scuibhéir ag cuidiú le ridire a chathéide chruach a chur air féin. Cosaint don ridire a bhíodh sa chathéide. Thógadh sé suas le huair an chloig ridire a ghléasadh.

SAOL NA nUAISLE

Séala Rí Éadbhard IV Shasana. Ba mhinic a d'úsáideadh daoine uaisle séala le fíor chéarach a chur ar dhoiciméad. Siombailí ón armas, etc. a bhíodh orthu chun go n-aithneofaí cérbh uaidh an litir.

Thógtaí mná uaisle le bheith i gceannas ar theaghlaigh mhóra. Bhíodh orthu maoirseacht a dhéanamh ar obair na gcócairí is na searbhóntaí agus chuidídís le cúram a dhéanamh den té a bhíodh tinn. Uaireanta bhíodh orthu an caisleán a chosaint aimsir chogaidh.

Bhíodh cumhacht ollmhór ag na huaisle sa Mheánaois. Ní raibh aon dream chomh tábhachtach leo. Bhí siad an-saibhir agus chaithidís saol galánta sóúil. Ach bhíodh a gcuid trioblóidí féin acu, trioblóidí a bhain le haindlí, le foréigean agus le cogaí.

CUMHACHT
Bhíodh gá ag an rí le tacaíocht na dtiarnaí leis an tír a rialú. Bhí dhá chúis leis sin. Ar an gcéad dul síos bheadh saighdiúirí na dtiarnaí ag teastáil aimsir chogaidh. Ar an dara dul síos ní raibh mórán bóithre ann an uair úd agus de bharr a dheacra is a bhí cúrsaí taistil ba dheacair acu codanna den tír i bhfad ó bhaile a choinneáil faoina smacht.

'Leagadh an rí amach na turais a bhíodh le tabhairt aige go cúramach. Chuireadh sé scéala chucu roimh ré cé na laethanta a mbeadh sé ag taisteal, líon na laethanta agus ainm na mbailte beaga a mbíodh faoi fanacht iontu.

Walter Map

Is annamh a bhíodh léamh agus scríobh ag uaisle na Meánaoise idir fhir is mhná. Is amhlaidh a léadh filí agus scríbhneoirí sleachta as a saothair os ard dóibh.

FEOID AGUS SEIRBHÍS
Bhronnadh ríthe eastáit (feoid) ar a gcuid lucht tacaíochta (vasáilligh) ar fud na tíre. Bhíodh smacht ag an tiarna ar na daoine a mbíodh cónaí orthu ar na feoid, ach bhíodh dualgas air féin i leith an rí. Bhíodh air cuidiú leis an rí in am gáibh. Ba é an rí a shocraíodh cé mhéad ridire ba chóir don tiarna a thabhairt leis chun cogaidh. Ní bhíodh an rí sásta ach le ridirí den scoth.

AN SÍORTHAISTEAL
Ó tharla go mbíodh feoid na dtiarnaí móra scaipthe go fada fairsing, chaithidís mórchuid ama ag taisteal ó fheod go chéile. Cúis eile a bhíodh leis na turais seo ná a chinntiú go mbíodh na daoine ar na feoid dílis dóibh. D'fhanaidís ar cuairt go mbíodh an stór bia ídithe agus ansin thugaidís a n-aghaidh ar an gcéad fheod eile. Dhéanadh an rí an cleas céanna. Thug Walter Map, scríbhneoir de chuid an 12ú céad, tuairisc dúinn ar Anraí I, Rí Shasana. Chuireadh seisean scéala chuig na tiarnaí agus dhéantaí na socruithe i bhfad roimh ré. Ansin thugadh sé leis ó fheod go feod a theaghlach ar fad móide a chuid capall agus an chonairt, chomh maith le doiciméid oifigiúla, taipéisí, brait urláir agus foireann soithí.

SÍORCHOGAÍOCHT

Ridirí ba ea na huaisle. Chuiridís an t-am thart ag fiach nó i dturnaimintí mar chleachtadh le haghaidh cogaidh. Bhain go leor acu saibhreas as an gcogaíocht féin, e.g. an Cogadh Céad Bliain idir Sasana agus an Fhrainc. I gcaitheamh an chogaidh sin rinne go leor d'uaisle Shasana saibhreas mór as airgead fuascailte agus as tailte a ghabh siad sa Fhrainc.

Ba chomhairleoirí ag na ríthe na tiarnaí freisin, ach uaireanta bhíodh easaontas eatarthu agus corruair d'éiríodh an tiarna amach, go fiú, e.g. d'éirigh Iarla Lancaster amach in aghaidh Rí Éadbhard II sa 14ú céad. Cloíodh an tIarla.

I gcaisleáin a chónaíodh na tiarnaí agus tá go leor fothrach de chuid na Meánaoise fágtha fós, e.g. *Krack des Chevaliers* sa tSiria, *Chateau Gaillard* sa Fhrainc agus Chepstow sa Bhreatain Bheag. Thar aon rud eile ba dhúnta míleata iad na caisleáin. Sa 14ú céad thosaigh na tiarnaí ag tógáil tithe a bhí níos feiliúnaí do shaol socair.

SAOL GALÁNTA

De bharr go raibh siad saibhir bhíodh saol galánta ag an uasaicme. Murab ionann agus na gnáthdhaoine chodlaídís ar leaba adhmaid ar a mbíodh tocht agus braillíní síoda nó línéadaigh. Pluideanna fionnaidh a bhíodh anuas orthu agus bhíodh cuirtíní acu ar mhaithe le príobháid. Ón 13ú céad amach bhíodh gloine sna fuinneoga ag an uasaicme shaibhir.

Bhíodh earraí crochta ar na ballaí, mar mhaisiú agus le siorraí gaoithe a bhac. Pictiúir a bhíodh ar bhallaí na gcaisleán. Bhí an-tóir ag Anraí III Shasana, a mhair sa 13ú céad, ar phictiúir ar na ballaí. Ón Spáinn sa 14ú céad a tháinig an nós taipéisí a chur ar na hurláir.

Ba bhreá leis na huaisle an fiach mar chaitheamh aimsire. Marcaigh agus gadhair fiaigh leo atá sa tóir ar fhia sa phictiúr thuas.

23

Ba mhinic taipéisí ar bhallaí na seomraí cónaithe sna caisleáin. Ar an gcéad dul síos ba mhaisiú iad agus ina theannta sin choinnídís na seomraí beagán beag níos teo.

Caisleán, móta agus bábhún. An déanamh seo a bhíodh ar na caisleáin ba thúisce a tógadh san Eoraip.

Sa 9ú agus sa 10ú haois a tógadh caisleáin san Eoraip ar dtús. Bhí dhá shaidhm leo: smacht a bheith ag lucht na gcaisleán ar an gceantar thart orthu agus cosaint a bheith ag an dream istigh iontu. Tháinig athrú ar leagan amach agus ar stíl tógála na gcaisleán de réir mar a d'athraigh cúrsaí cogaidh le himeacht ama.

AN SAOL SA CHAISLEÁN

Dún cosanta go príomha ba ea gach caisleán. Ach chónaíodh an tiarna agus a theaghlach, saighdiúirí an tiarna (a chuid ridirí san áireamh), agus na searbhóntaí ann. Ba chostasach an rud caisleán a thógáil agus a reáchtáil.

Tá go leor caisleán fágtha fós agus fianaise iontu ar shaol laethúil na ndaoine a chónaíodh iontu. Mar shampla, tógadh Castel del Monte san Iodáil mar áras galánta nua-aimseartha le haghaidh an Impire Feardorcha II agus lucht a chúirte. Cuireadh urláir mhosáice ann agus leithris arbh fhéidir an t-uisce a shruthlú iontu – scileanna iad sin a d'fhoghlaim siad ó na hArabaigh. Tuí agus luachair a bhíodh ar na hurláir i bhformhór na gcaisleán mar bhac ar an bhfuacht. Eisceacht ba ea caisleán Fheardorcha II.

CAISLEÁN FAOI LÉIGEAR

D'úsáidtí gléasanna ar leith, de leithéidí an *mangon* agus an *treluchet* le caisleáin a chur faoi léigear. Ba innill caite cloch iad sin agus radtaí clocha móra le ballaí caisleán leo chun bearnaí a chur iontu.

SAGHSANNA ÉAGSÚLA

Tógadh go leor cineálacha caisleán i gcaitheamh na mblianta. Bhí cineál amháin an-áisiúil ag arm a bheadh ag déanamh ionraidh ar thír mar gurbh fhurasta é a thógáil. I dtosach thógtaí daingean adhmaid ar mhóta (cnocán) cré. Ansin dhéantaí bábhún (clós) adhmaid ar thalamh réidh agus mar bhuille scoir dhéanta trinse mór timpeall an iomláin. Thóg na Normannaigh go leor díobh sin i Sasana, sa Bhreatain Bheag agus in Éirinn. Níos déanaí ba as cloch a dhéantaí na caisleáin.

Dronuilleogach a bhíodh na túir ar na caisleáin i dtús ama. Mar go raibh sé furasta iad sin a leagan tógadh túir chruinne ina dhiaidh sin. Ón lár amach i bhfoirm ciorcail a bhíodh na clocha sna cinn nua agus ba dheacair ag an namhaid iad a leagan.

AN CAISLEÁN

Na daoine a bhíodh i gcaisleán

Ba iad na caisleáin tithe cónaithe na n-uaisle. Chomh maith le teaghlach an tiarna féin bhíodh saighdiúirí, searbhóntaí de gach saghas agus gasúir a bhíodh ar altramas ag an tiarna ina gcónaí ann. Bhíodh smacht ag an tiarna ar a mbíodh istigh. Nuair a bhíodh sé féin as láthair ba í a bhean a bhíodh i gceannas. Dá n-ionsófaí an caisleán ba ise a bhíodh i mbun a chosanta. Uaireanta ghlacfadh sí féin páirt sa troid.

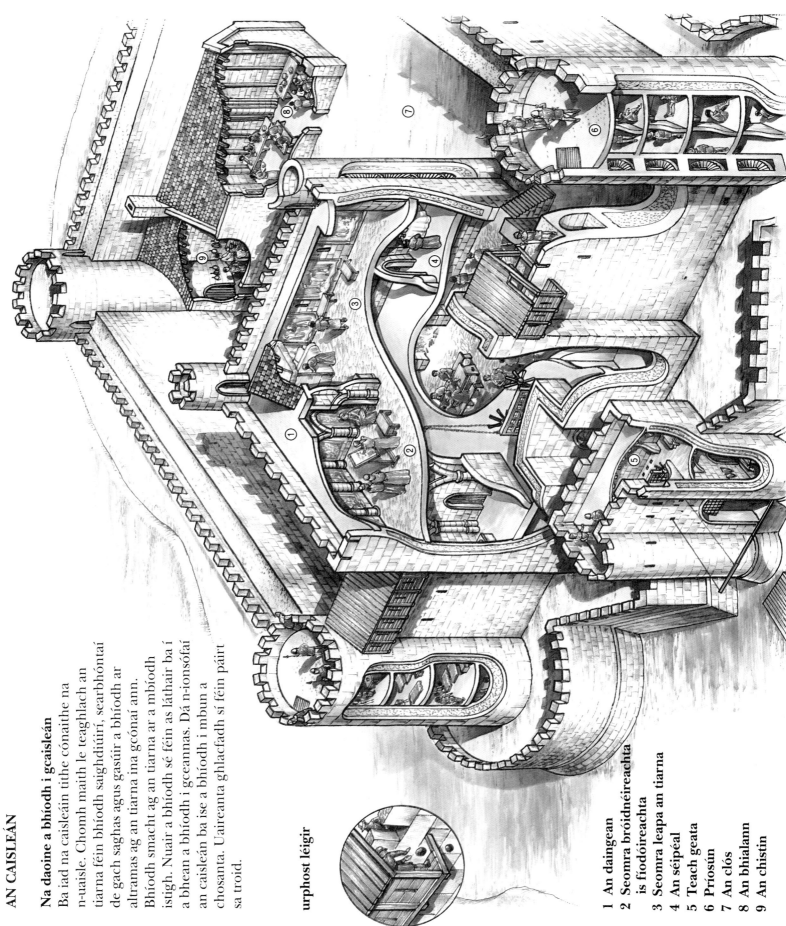

urphost léigir

1 An daingean
2 Seomra bróidnéireachta is fíodóireachta
3 Seomra leapa an tiarna
4 An séipéal
5 Teach geata
6 Príosún
7 An clós
8 An bhialann
9 An chistin

NA CROSÁIDÍ

Pictiúr de chrosáid. Bhain barbarthacht agus brúidiúlacht ar leith le cogaí na gcrosáid. Mharaíodh na Crosáidithe Moslamaigh, Giúdaigh agus go leor dreamanna eile gan trua gan taise.

Dar le Críostaithe na hEorpa ba chogaí naofa iad na Crosáidí chun na Turcaigh (ar Mhoslamaigh iad) a ruaigeadh as an Talamh Naofa. Thug go leor Crosáidí a n-aghaidh ar an Talamh Naofa ón 11ú go dtí an 13ú céad ach níor éirigh ach leis an gcéad cheann an phríomhaidhm a bhaint amach.

AN TALAMH NAOFA

Bhí urraim as cuimse ag Críostaithe don Talamh Naofa mar gurbh ann a chaith Íosa Críost A shaol agus ba air, ar ndóigh, a bhí an Sean-Tiomna agus an Nua-Thiomna bunaithe. Ba bhreá leo turas a thabhairt air chun na háiteanna ar chuala siad oiread sin trácht orthu a fheiceáil dóibh féin agus le guí chun Dé iontu.

Níor chreid Críostaithe go bhféadfadh daoine a raibh creidimh éagsúla acu maireachtáil go síochánta le chéile. Mhaígh an Eaglais gurbh aici féin amháin a bhí an fhírinne agus theastaigh uaithi na Giúdaigh agus na Moslamaigh a iompú chun na Críostaíochta.

Bhí Iarúsailéim féin faoi smacht na Moslamach ón 7ú haois amach, ach go raibh caidreamh maith idir na Moslamaigh agus na hoilithrigh Chríostaí.

1096	AN CHÉAD CHROSÁID
1147	AN DARA CROSÁID
1189	AN TRÍÚ CROSÁID
1204	AN CEATHRÚ CROSÁID
1212	CROSÁID NA LEANAÍ

Dátaí na gCrosáidí ba mhó le rá. Bhíodh gach cineál duine ar na Crosáidí, tuathánaigh san áireamh. I ngeall air sin ní bhíodh an smacht ná an t-eagar ceart orthu a mbítí ag súil leis go minic.

Tháinig athrú ar chúrsaí san 11ú céad nuair a chuaigh Turcaigh Sheilsiúic i gceannas ar an Éigipt in áit na gCailifí Fataimíteacha. Ba chontúirteach an rud é dul ar oilithreacht go dtí an Talamh Naofa as sin amach.

'Tabhair turas ar an Talamh Naofa agus maithfear do pheacaí duit.'

An Pápa Urbanus II

CUIDIÚ Á IARRAIDH

Bhí daoine in iarthar na hEorpa buartha go raibh Turcaigh Sheilsiúic ag éirí róláidir agus chuir sé as dóibh an chaoi a rabhthas ag caitheamh leis na hoilithrigh in Iarúsailéim. Sa bhliain 1095 d'iarr Impire Byzantium, Alexius Comnenus, cuidiú ar an bPápa in aghaidh na dTurcach.

Thionól an Pápa Urbanus II comhairle mhór de chuid na hEaglaise in Clermont na Fraince sa bhliain 1095 A.D. Dúirt an Pápa leo sin a bhí i láthair go raibh tír bheannaithe na Críostaíochta faoi smacht ag na Turcaigh agus gur mhithid an Talamh Naofa a shaoradh. Dúirt sé gurbh é toil Dé na Crosáidí agus go maithfí a bpeacaí dóibh siúd a mharófaí san iarracht. *Deus vult*, (Is é toil Dé é) an freagra i Laidin a fuair sé óna raibh i láthair agus thug cuid mhaith díobh móid láithreach bonn go rachaidís ar chrosáid go dtí an Talamh Naofa.

Léirítear thíos na bealaí a ndeachaigh roinnt de na Crosáidithe mór le rá go dtí an Talamh Naofa.

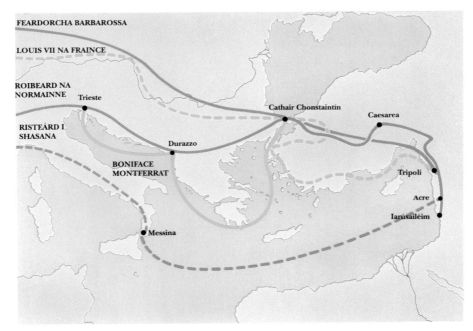

FEARDORCHA BARBAROSSA

LOUIS VII NA FRAINCE

ROIBEARD NA NORMAINNE — Trieste

RISTEÁRD I SHASANA

BONIFACE MONTFERRAT

Durazzo

Cathair Chonstaintín

Caesarea

Tripoli

Acre

Iarúsailéim

Messina

NA CROSÁIDÍ

Is iomaí sórt duine a chuaigh ar na crosáidí. Bhí go leor bochtán ar an gcéad chrosáid agus Francach darbh ainm Peadar Díthreabhach i gceannas orthu. Chuaigh go leor gasúr de bhunadh na Fraince agus na Gearmáine ar chrosáid sa bhliain 1212. Chuaigh na haoirí ar chrosáid chun an Talaimh Naofa sa bhliain 1251. Ba é cuspóir na gCrosáidí ná Iarúsailéim a bhaint de na Moslamaigh.

Chuaigh na ridirí ann freisin agus uaisle agus prionsaí i gceannas orthu, e.g. Baldwin Fhlóndrais (an 1ú chrosáid). Bhí an tImpire Feardorcha Barbarossa na Gearmáine ar dhuine de cheannairí an 3ú crosáid sa bhliain 1189. Chuaigh rí Shasana, Risteárd I, ar an tríú crosáid freisin agus chuir sé troid ar Shalahaidin, ceannaire na Saraistíní. Bhuaigh sé cath tábhachtach in Jaffa. Ach ar a bhealach ar ais go Sasana dó tríd an nGearmáin gabhadh agus cuireadh ar a fhuascailt é.

Bhí Risteárd I Shasana, a bhfuil an sciath dhearg is óir aige, ar dhuine de cheannairí móra an Tríú Crosáid. Tá sé ag troid le Salahaidin, ceannaire na Saraistíní sa phictiúr thíos. Mhol Salahaidin do Risteárd a dheirfiúrsan a phósadh ionas go mbeadh síocháin idir an dá dhream. Chuir an moladh sin uafás ar na Críostaithe.

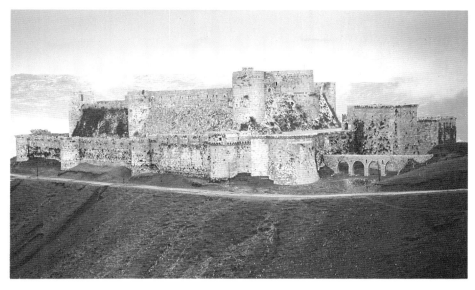

FORÉIGEAN NA nARM

Bhain barbarthacht agus cruálacht leis na Crosáidí. Cuireadh chun báis go leor de Mhoslamaigh Iarúsailéim nuair a ghabhadh an chathair sa bhliain 1099. Níorbh iad na Moslamaigh amháin a maraíodh. D'ionsaigh na Crosáidithe Giúdaigh sa Fhrainc agus sa Ghearmáin nuair a bhí na hairm ar a mbealach go dtí an Talamh Naofa.

Bhí saol crua rompu amach. Ba bheag eolas a bhí ag na Crosáidithe ar an aimsir ná ar chúrsaí sa Phailistín agus ina theannta sin ba mhinic gan iad réitithe i gceart faoi choinne cogaidh. I gcaitheamh na chéad chrosáide d'éirigh an bia gann agus d'ith siad madraí, lucha francacha agus marbháin, go fiú.

Caisleán Krak des Chevaliers a thóg Ridirí Naomh Eoin sa tSiria. Bhíodh roinnt mhaith daingean agus dúnfort ina bhfáinní timpeall ar a leithéidí seo de chaisleáin.

CÚRSAÍ LÉINN

Igcaitheamh na Meánaoise ba í an Eaglais a stiúir cúrsaí léinn agus fealsúnachta agus ba í a mhúnlaigh dearcadh an ghnáthdhuine ar an saol. Dar leis an Eaglais, bhain tábhacht leis an léann mar ghléas chun eolas a chur ar Dhia.

Seo leathanach as leabhar i dtaobh ainmhithe. Scríobhadh scoláirí na Meánaoise gach a raibh ar eolas – fíorais agus finscéalta – faoi ábhar áirithe i leabhair dá leithéid seo.

AN LÉANN & AN CREIDEAMH

Síleadh i gcaitheamh na Meánaoise gur thábhachtaí staidéar a dhéanamh ar an mBíobla ná staidéar ar an eolaíocht. De réir Naomh Agaistín (smaointeoir Críostaí de chuid an 5ú haois) ba mhaith an rud staidéar a dhéanamh ar an gceol, ar uimhreacha, ar phlandaí, ar ainmhithe, ar chlocha bua, etc. i dtreo gurbh fhearr a thuigfeadh daoine an Bíobla. D'aontaigh go leor daoine leis an dearcadh sin agus ba mhó acu staidéar a dhéanamh ar Dhia agus ar ghnóthaí Dé ná ar an domhan mór thart orthu.

Bhí dearcadh daoine ar an saol go mór faoi anáil a gcreidimh. Chreid a lán go raibh obair áirithe leagtha amach do gach duine (agus gach ní) agus gurbh é Dia féin a shocraigh é sin, e.g. ba é gnó na gréine solas a scaladh, gnó an rí rialú agus gnó an tuathánaigh an talamh a shaothrú le bia a chur ar fáil.

Ba lárionaid léinn iad na mainistreacha agus ba iad na manaigh a scríobhadh agus a mhaisíodh na lámhscríbhinní.

Pictiúr d'astrláib a rinne ceardaí Gearmánach. Chuidíodh an astrláib le mairnéalaigh a mbealach a dhéanamh ar an bhfarraige. Bhí suim ag go leor de scoláirí na Meánaoise san astrláib, an file Sasanach, Chaucer, san áireamh.

NA SEANSCRÍBHINNÍ

Bhíodh an-mheas ar scríbhinní na sean-Ghréige, agus d'aistrigh na scoláirí go Laidin iad mar gurbh í an Laidin teanga an léinn i gcaitheamh na Meánaoise, e.g. d'aistrigh Boethius, scoláire Iodálach, scríbhinní Arastatail go Laidin. Ar na scríbhinní a aistríodh bhí: scríbhinní Arastotail ar an bpolaitíocht, ar ainmhithe agus ar an bhfisic, scríbhinní Hippocrates ar chúrsaí leighis, scríbhinní Eoclidéis agus Phiotágaráis ar an matamaitic agus ar an gcéimseata.

Ní mó ná sásta a bhíodh údaráis na hEaglaise le tuairimí scríbhneoirí na sean-Ghréige mar go raibh siad ag trasnaíl ar a gcuid tuairimí féin. Bhí eagla orthu go gcaillfeadh daoine a gcreideamh agus nach leanfaidís teagasc na hEaglaise as sin amach.

> 'D'fhiafraigh mé díom féin an bhféadfaí cruthú a aimsiú go bhfuil Dia ann … Uaireanta d'airínn go mbíodh na hargóintí cearta buailte liom agus uaireanta eile d'airínn go mbídís ag éalú uaim.'
> — *Anselm as Aosta, Proslogion*

AN FHEALSÚNACHT

Bhí go leor fealsúna móra ann i gcaitheamh na Meánaoise agus iad ar thóir na céille a bhí leis an saol agus leis an domhan féin. Bhí dearcadh Críostaí ag leithéidí Anselm as Aosta na hIodáile agus ag Peadar Abelard na Fraince. Scríobh Anselm leabhar dar theideal *Proslogion* chun a chruthú go bhfuil Dia ann. Is éard a theastaigh uaidh ná bonn daingean na réasúnaíochta a chur faoin gcreideamh. Bíodh is gur Chríostaí maith é Abelard cháin an Eaglais a shaothar sa bhliain 1141. Bhíodh aighneas go minic idir na scoláirí agus an Eaglais mar gur ar a mbreithiúnas féin a bhíodh tuairimí na scoláirí bunaithe.

Mír de leathanach as an mBíobla. Ba iad Dia agus an Bíobla na príomhábhair staidéir a bhíodh ag fealsúna agus ag smaointeoirí na Meánaoise. Ba í an Chríostaíocht an bonn a bhí lena gcuid tuairimí.

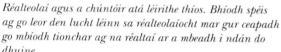

Réalteolaí agus a chúntóir atá léirithe thíos. Bhíodh spéis ag go leor den lucht léinn sa réalteolaíocht mar gur ceapadh go mbíodh tionchar ag na réaltaí ar a mbeadh i ndán do dhuine.

AN UIMHRÍOCHT

Bhí tóir ag an Eaglais ar an uimhríocht riamh anall mar gurbh éigean dáta na Cásca a ríomh gach bliain. Sa 10ú céad bhain Gerbert as Rheims leas as abacas le ríomh a dhéanamh. Gléas ba ea é sin ina raibh liathróidí beaga ar shreanga agus fráma thart ar an iomlán. Glacadh leis na huimhreacha Arabacha in iarthar na hEorpa sa 12ú céad, rud a shimpligh cúrsaí áirimh agus a chabhraigh leis na ceannaithe maidir lena gcuid cuntas airgid.

AN EOLAÍOCHT

Aimsir na Meánaoise mhúintí an eolaíocht mar chuid den fhealsúnacht. Ba eaglaisigh iad cuid mhór den dream a bhíodh ag scríobh ar chúrsaí eolaíochta, e.g. leithéidí na Sasanach Robert Grosseteste agus Roger Bacon. Bhí tionchar an chreidimh le brath ar a ndearcadh maidir le cúrsaí eolais agus bhí ardmheas orthu mar scoláirí.

Malartóir airgid i mbun a chuid oibre. Tá abacas os a chomhair le háireamh deacair a dhéanamh.

EALAÍN AGUS OIDEACHAS

Clúdach leabhair ón Meánaois. Bhí leabhair an-chostasach i gcaitheamh na tréimhse sin mar gur de láimh a scríobhtaí an téacs agus a dhéantaí an maisiú. Ba mhinic a bhíodh clúdaigh na leabhar breac le seoda.

Igcaitheamh na Meánaoise rinneadh an-chuid saothar ealaíne i gcomhair na hEaglaise. Bhain cúrsaí oideachais go príomha le riachtanais na hEaglaise freisin. Ach le himeacht aimsire tháinig fás agus forbairt orthu sin araon ar bhealaí a d'fhág nár bhain siad le riachtanais na hEaglaise amháin a thuilleadh.

AN EALAÍN NUA

Níorbh ionann cúrsaí ealaíne tar éis thitim Impireacht na Róimhe agus cúrsaí ealaíne mar a bhí roimhe sin. Mar shampla bhíodh fíoracha ainmhithe, éan agus dragan snaidhmthe ar a chéile in ealaín na nGotach, na Vandal agus na Sacsanach. Bhain na manaigh in Éirinn agus i Sasana leas as patrúin chasta den chineál céanna i gcaitheamh an 7ú agus an 8ú haois.

CÚRSAÍ EALAÍNE & AN EAGLAIS

Rinneadh formhór mór saothar ealaíne na Meánaoise don Eaglais, e.g. ba le haghaidh na séipéal mar chuidiú le creideamh an phobail a dhéantaí dealbha agus pictiúir de Chríost agus de na naoimh. Dhéantaí cailísí, etc. le haghaidh an Aifrinn. Bhíodh feisteas na séipéal galánta maisiúil lena thabhairt le fios go raibh urraim as cuimse do Dhia ag an dream a thóg iad. Sampla

Leathanach as Soiscéal Lindisfarne (Oileán na Naomh). Manaigh a scríobh is a mhaisigh go dúthrachtach an lámhscríbhinn álainn seo sa seachtú haois. Misinéir Éireannach darbh ainm Aodhán a chéadbhunaigh an mhainistir ar Oileán na Naomh.

maith is ea mainistir Saint-Denis sa Fhrainc ar chaith an t-ab, Suger, na múrtha airgid uirthi sa 12ú céad. Tá tuairisc scríofa againn uaidh á rá go raibh súil aige go gcuimhneodh daoine ar ghlóir Dé nuair a d'fheicfidís gloine dhaite an tséipéil agus na seoda áille eile.

AN AILTIREACHT

Stíl Rómhánúil ailtireachta a bhí ar fud iarthar na hEeorpa sa 11ú agus sa 12ú céad. Foirgnimh ollmhóra ar a mbíodh díon trom cloiche anuas ar cholúin agus ar áirsí cuara a bhíodh de réir na stíle sin, e.g. an ardeaglais Normannach in Durham. Tá croslanna Ardteampall Chríost i mBaile Átha Cliath sa stíl Rómhánúil.

Tháinig stíl nua ghalánta ailtireachta – an stíl Ghotach – chun cinn i dtuaisceart na Fraince sa 12ú céad. Glacadh go fonnmhar leis an stíl nua ar bhain áirsí bioracha, fíoracha snoite fíneálta, ballaí arda agus fuinneoga fairsinge léi. Is iomaí ardeaglais a tógadh de réir na stíle sin.

Ardeaglais Rómhánach ar clé agus ardeaglais Ghotach ar deis. Baineadh áirsí bioracha, fairsinge fuinneog agus go leor dealbh de naoimh greanta thart ar an doras leis an stíl Ghotach. Bhí an stíl Rómhánach i bhfad níos simplí.

CÚRSAÍ OIDEACHAIS

I gcaitheamh na Meánaoise ní chuirtí oideachas ach ar fhir a raibh fúthu a bheith ina sagairt. Rinne Ailfrid, rí Wessex, mar shampla, agus an tImpire Séarlas Mór iarracht oideachas a chur ar dhaoine seachas ábhair sagart. Ach níor éirigh rómhaith le hiarrachtaí dá leithéidí go dtí an 13ú céad.

Bhíodh scolaíocht le fáil in go leor mainistreacha agus bhí cáil fhairsing ar roinnt mainistreacha in Éirinn. Níos déanaí a d'fhás an Ollscolaíocht as scoileanna eaglasta ar an Mór-Roinn. Ba shagairt nó manaigh iad na múinteoirí; trí Laidin a mhúintí an t-ábhar, agus ba ar dhíospóireacht a bhunaítí na scrúduithe. Bunaíodh scoileanna i roinnt tíortha, e.g. an Iodáil, ina múintí ábhair eile seachas cúrsaí creidimh. Mhúintí an uimhríocht don dream a bheadh ina gceannaithe níos déanaí.

LÁMHSCRÍBHINNÍ

Bhíodh leabhair ag teastáil ón Eaglais le haghaidh a gcuid seirbhísí eaglasta. Ó tharla nár ceapadh an clóphreas go dtí an 15ú haois san Eoraip lámhscríbhinní ab ea na leabhair úd. Dhéanadh na manaigh cóipeanna de na lámhscríbhinní sa teach screaptra (*scriptorium*) sa mhainistir. Chuirtí na lámhscríbhinní sin ó mhainistir go chéile agus ó thír go tír, e.g. chuir Anselm as Aosta na hIodáile cóipeanna de phaidreacha chuig Gundolf a bhí ina mhanach in Bec na Fraince. Ba mhinic a bhíodh na lámhscríbhinní maisithe le pictiúir dhaite, e.g. Leabhar Cheanannais.

Ní bhíodh oideachas ach ar an gcléir sa Mheánaois Luath, agus ba iad amháin a raibh léamh agus scríobh acu. Ach faoin 13ú haois bhíodh na tuataí féin i.e. scríobhaithe gairmiúla, ag cóipeáil lámhscríbhinní.

Leabhar á bhronnadh ar rí. Thiomnaíodh go leor scríbhneoirí a gcuid leabhar d'uasal éigin. Bhí aithne ag an bhfile Chaucer ar go leor d'uaisle na cúirte ríoga i Sasana agus thiomnaigh sé a chuid leabhar d'uaisle éagsúla acu.

Manach agus gasúir scoile. Ba bheag scoil a bhí ann an uair sin agus ní bhíodh oideachas ach ar chorrdhuine. Bhíodh na leabhair an-ghann agus bhíodh ar na mic léinn iad a thabhairt ar iasacht dá chéile.

NA MAINISTREACHA

Choinnítí taisí na naomh i gcumhdaigh áille sna mainistreacha. Ba mhinic a bhíodh na cumhdaigh chéanna maisithe le hór agus le seoda.

Thosaigh an manachas sa 3ú agus sa 4ú céad agus bunaíodh mainistreacha le haghaidh na manach agus clochair le haghaidh na mban rialta arbh áil leo saol diaganta a chaitheamh i gcomhluadar a chéile. Tháinig athruithe ar shaol na mainistreacha is na gclochar le himeacht ama.

NAOMH BEINIDICT

Ba mhanach Iodálach a mhair sa 5ú céad é Naomh Beinidict. Bhunaigh sé go leor mainistreacha, e.g. Monte Cassino in aice le Napoli. Scríobh sé leabhar, i.e. *Riail Naomh Beinidict*, faoin gcaoi ar cheart do na manaigh a saol a chaitheamh. Mhol sé dóibh a saol a chaitheamh sa mhainistir mar a bheadh teaghlach ann agus orduithe an aba a chomhlíonadh. Ní bheadh cead pósta ag na manaigh ná maoin phearsanta acu. Chaithfeadh na manaigh an lá ag guí, ag obair is ag déanamh staidéir ar an mBíobla. Bhí an-tóir ar leabhar Naomh Beinidict agus leanadh a threoir sna mainistreacha Beinidicteacha i gcaitheamh na Meánaoise. Ar na mainistreacha ba mhó cáil bhí Bury St. Edmunds in Suffolk Shasana agus mainistir Cluny in Burgundy na Fraince.

Oilithreach ar a bhealach chun guí ag uaigh Naomh Tomás a'Becket in Canterbury. Bhíodh an-tóir ag oilithrigh ar mhainistreacha ina mbíodh taisí na naomh. As eagrán de na Canterbury Tales le Chaucer an pictiúr thuas.

SAOL NA MAINISTREACH

Ba lárionaid léinn agus scolaíochta iad na mainistreacha i gcaitheamh na Meánaoise. Dhéanadh na manaigh cóipeanna lámhscríofa den Bhíobla agus de shaothair scoláireachta agus mhaisídís iad le pictiúir dhaite.

Níorbh áil leis na chéad mhanaigh caidreamh a bheith acu le muintir na háite. Ach tháinig athrú ar chúrsaí. D'éirigh mainistreacha áirithe an-saibhir de bharr talamh agus airgead a bheith á mbronnadh orthu ag daoine a raibh súil acu go gcuirfí paidreacha lena n-anam. Cuireadh saoltacht agus mímhacántacht i leith na manach agus d'iompaigh daoine áirithe ina n-aghaidh. Ba dhaoine cumhachtacha iad na habaí agus thagadh ríthe, banríonacha agus na huaisle ar cuairt chucu. Nuair a thug Rí Éadbhard I Shasana cuairt ar phrióireacht Lanercost sa bhliain 1306 bhí 200 ina theannta idir shearbhóntaí agus shaighdiúirí. B'éigean dídean agus bia a chur ar fáil don iomlán acu.

Ó thaobh na manach de ba é an séipéal croílár na mainistreach. Chaitheadh na manaigh roinnt mhaith ama ag guí sa séipéal gach lá mar gurbh é sin an ghné ba thábhachtaí dá saol. D'iarradh daoine lasmuigh orthu guí ar a son.

AN MHAINISTIR

1 An séipéal
2 Corp an tséipéil
3 An clabhstra
4 An proinnteach
5 An suanlios
6 Seomra na tine
7 An chistin
8 An otharlann
9 Teach an aba

Teach screaptra

SAOL CRÁIFEACH

Ba é séipéal na mainistreach croílár shaol na manach nó na mban rialta agus léití Aifreann, etc. ann de lá agus d'oíche.

Bhíodh an clabhstra in aice leis an séipéal agus garraí beag taobh leis. Dhéanadh na manaigh nó na mná rialta spaisteoireacht nó léamh ann. Bhíodh seomra ina mbíodh tine chun iad féin a ghoradh taobh leis an gclabhstra. Sa phroinnteach a chaithidís béilí. Léití sleachta as leabhar cráifeachta i gcaitheamh na mbéilí. Bhíodh seomraí eile ann ina ndéantaí troscán agus éadaí agus gach a mbíodh ag teastáil uathu.

BRÁITHRE AGUS EIRICIGH

Pictiúr de mhanach agus é ag scríobh. Murab ionann is na manaigh a d'fhanadh istigh sa mhainistir bhíodh ardmheas ar na bráithre mar go mbídís ag obair i measc an phobail.

Dhéanadh daoine áirithe pionós poiblí – iad féin a sciúrsáil ar mhaithe le maithiúnas a fháil i bpeacaí an domhain. Bhídís ag súil go n-éistfeadh Dia lena nguí agus go gcuirfeadh sé an tsíocháin i réim agus go ruaigfí an phlá bhúbónach, mar shampla.

Sa 13ú haois a bunaíodh ord na bProinsiasach agus ord na nDoiminiceach. Murab ionann is na manaigh a chaitheadh a saol scoite amach ón saol mór i mbun paidreoireachta bhíodh na bráithre ag obair i measc an phobail ag teagasc agus ag cuidiú leis na heasláin.

NAOMH PROINSIAS Ó ASSISI

In Assisi na hIodáile a rugadh Naomh Proinsias sa bhliain 1182. Ba cheannaí mór éadaigh é a athair. Ba é Íosa Críost agus na haspail a spreag é chun a óige a chaitheamh le paidreoireacht agus thug sé uaidh a chuid maoine ar fad. Ina dhiaidh sin chaith sé saol simplí, saol a bhí an-difriúil le saol na n-eaglaiseach saibhir. Bhí meas ag na daoine bochta air agus ba ghearr go raibh lucht leanúna aige arbh áil leo dul le bochtaineacht agus leis an saol cráifeach. Ní bhíodh aon chónaí buan ag na Proinsiasaigh. B'amhlaidh a théidís ó bhaile go chéile ag teagasc dhlí Dé agus ag maireachtáil ar dhéirc an phobail.

Cheadaigh an Pápa Innocentius III do Phroinsias dul ar aghaidh lena chuid oibre. Proinsiasaigh a thugtaí ar bhaill an oird agus aidídeacha liatha a chaithidís.

NAOMH DOIMINIC

Sa Chaistíl a rugadh Naomh Doiminic agus ba de bhunadh uaisle é. Oirníodh ina shagart é agus cuireadh go Provence é i dtús an 13ú haois le heiricigh a iompú chun na hEaglaise. Rith sé le Doiminic go raibh géarghá le hoideachas a chur ar an gcléir mar nach raibh na sagairt in ann an pobal a theagasc de bharr aineolais. Bhí lucht leanúna ag Doiminic a chloíodh le bochtaineacht agus a bhíodh ag obair sna bailte móra. 'Bráithre Dubha' a thugtaí orthu i ngeall ar an aibíd dhubh a chaithidís. Ba Dhoiminicigh go leor de na scoláirí móra, e.g. Naomh Tomás Acuin, Roger Bacon, agus Duns Scotus.

'Ná bíodh beithígh iompair ag na
bráithre agus ná téidís ar muin capaill
mura mbíonn siad lag nó tinn nó ar
thromchúis éigin eile.'
— *Naomh Proinsias ó Assisi* —

NAOMH CLÁR

Theastaigh ó go leor ban a bheith
páirteach sa bheatha nua chráifeach. Ba í
Naomh Clár a gceannaire siúd. D'iarr sise
ar Naomh Proinsias rialacha le haghaidh
oird ban a cheapadh, rud a rinne sé.
Chaithidís sin saol bocht freisin ach murab
ionann is na Bráithre chónaídís i gclochair
agus ba bheag teagmhála a bhíodh acu leis
an saol mór.

OBAIR NA mBRÁITHRE

Chuireadh cuid de na Bráithre cóir leighis
ar na heasláin, dhéanadh cuid eile
múinteoireacht ach ba é an obair ba
thábhachtaí a bhíodh acu ná an
tseanmóireacht. Bhíodh na sagairt
pharóiste ar fud na hEorpa ag casaoid
gurbh ar na Bráithre a bhí aird ag an
bpobal seachas orthu féin agus ar na
gnáthshearmanais sna séipéil.

Dhéanadh na Bráithre obair
mhisinéireachta freisin, e.g. sa 14ú céad
chuaigh Proinsiasach áirithe, Iodálach
darbh ainm Giovanni da Monte Corvino,
go Béising leis na Sínigh a iompú chun na
Críostaíochta.

*Giotto, péintéir mór de chuid na
hIodáile, a rinne an pictiúr
thuas de Naomh Proinsias, an
fear a bhunaigh na
Proinsiasaigh. Tugtar le fios ón
gcaoi a bhfuil na héin
cruinnithe thart air gur dhuine
caoin cineálta umhal a bhí ann
a raibh grá aige don saol go léir.*

EIRICEACHTAÍ

Is iomaí eiriceacht a tháinig chun cinn san
Eoraip ón 11ú céad ar aghaidh, e.g.
eiriceacht Lambert le Bègue san Ísiltír,
eiriceacht Lollard i Sasana, eiriceacht na
gCatárach san Iodáil agus sa Fhrainc.
Shéanadh na heiricigh gné éigin de
theagasc na hEaglaise nó chuiridís in
aghaidh cleachtais áirithe. Chuireadh
eiriceachtaí as go mór do cheannairí na
hEaglaise. Eiricigh nach mbíodh sásta a
gcuid teagaisc a tharraingt siar is minic a
dhéantaí iad a chéasadh nó a chur chun
báis.

AN PHOLAITÍOCHT

Chuirtí eiriceacht i leith daoine áirithe ar
chúinsí polaitíochta, e.g. Jeanne d'Arc. Bhí
sise ina ceannaire ar dhream Francach a
chuir in aghaidh smacht Shasana ar an
bhFrainc aimsir an Chogaidh Céad Bliain.
Ghabh na Sasanaigh í agus cuireadh
asarlaíocht ina leith. Loisceadh ina beatha í
sa bhliain 1431. Rinneadh athbhreithniú ar
a cás go luath ina dhiaidh sin agus
dearbhaíodh go raibh sí neamhchiontach.
Naomhaíodh í sa bhliain 1920.

*Duine de na bráithre ag
seanmóireacht. Bhí clú agus
cáil ar na bráithre mar
sheanmóirithe agus mar
mhúinteoirí i measc an phobail.
Thagadh go leor daoine chun
éisteacht leo.*

NA BAILTE & CÚRSAÍ TRÁDÁLA

Tháinig borradh de réir a chéile i gcaitheamh na Meánaoise ar chúrsaí trádála agus ar na bailte móra. Bhíodh iliomad ceardaithe agus lucht gnó sna bailte móra, e.g. táilliúirí, gréasaithe, baincéirí agus ceannaithe éadaigh.

SAOL NA mBAILTE MÓRA
Torann, fuadar agus salachar na trí ní ba mhó a bhain le saol na mbailte. Bhíodh na sráideanna cúng salach agus iad plódaithe le daoine ar a mbealach chuig siopaí agus ionaid mhargaidh. Bhíodh gadaithe go flúirseach ann freisin agus iad ar thóir airgid daoine saonta. Sampla de bhaile mór nár athraigh a leagan amach mórán ón Meánaois i leith is ea Bury St Edmonds in Suffolk Shasana.

CÚRSAÍ GEILLEAGAIR
Tháinig athrú ar gheilleagar na mbailte móra ón 11ú céad ar aghaidh. D'éirigh bailte móra áirithe saibhir i ngeall ar speisialtóireacht thionsclaíoch a bheith iontu, e.g. tionscal na holla i bhFlóndras agus i gcás na Veinéise agus Genova, trádáil le tíortha i gcéin. Bhí Marco Polo ar dhuine de cheannaithe móra na Veinéise. Chuaigh seisean chomh fada le hImpireacht na Mongólach san Oirthear sa 13ú haois. Bhíodh geilleagar corrbhaile bunaithe ar chúrsaí creidimh. Dá mbeadh scrín naoimh mhóir i mbaile mhealladh sí na mílte oilithreach chuici a mbíodh bronntanais agus airgead leo.

Léarscáil den domhan a tarraingíodh sa 13ú céad. Is beag eolais ar na críocha i gcéin a bhí ag muintir na hEorpa aimsir na Meánaoise. Shíl siad nach raibh ann ach trí ilchríoch – an Eoraip, an Afraic agus an Áise.

36

AR THÓIR NA TRÁDÁLA

Earraí sóchais ba mhó a bhíodh i gceist i gcúrsaí trádála i dtús na Meánaoise. Ach ba ghearr go mbíodh trádáil ar siúl maidir le bia chomh maith, e.g. Cathair Genova. Ba bheag dá cuid féin a bhí ag Genova agus bhíodh pobal na cathrach sin ar thóir gráin agus ar thóir deiseanna trádála thar lear. Bhíodh trádáil mhór ar bun leis an mBiosáint (Byzantium) agus leis an Oirthear. Cheannaíodh ceannaithe Genova mil, cnónna, fíon, brait urláir, alúm agus spíosraí ón Oirthear agus dhíolaidís iad in iarthar na hEorpa.

BORRADH FAOIN DAONRA

Bhí borradh faoi dhaonra na hEorpa thart faoin am seo ach níl áireamh cruinn air mar nach gcoinnítí taifead ar bhreitheanna, ar phóstaí ná ar bhásanna ná ní dhéantaí na daoine a chomhaireamh. Is dóigh le staraí mór áirithe gur mhéadaigh daonra na Fraince ó 2.5 milliún i lár an 13ú céad go 13.5 milliún i lár an 14ú céad. Ní fios cé acu an fíor é sin nó nach fíor ach déantar amach gur tháinig méadú mór air.

Tháinig méadú ar dhaonra na mbailte móra mar gur tháinig go leor daoine ón tír isteach iontu. Ach bhí na tithe sna bailte móra beag agus na sráideanna cúng, na draenacha gan chlúdach agus dramhaíl agus camras ar na sráideanna. Bhíodh an saol sna bailte móra salach, míthaitneamhach agus contúirteach go minic.

Ar longa ba mhó a bhí an trádáil bunaithe i gcaitheamh na Meánaoise. Tá na longa le caladh sa phictiúr thuas.

BAILTE MÓR LE RÁ

Bhí cáil mhór ar bhailte áirithe san Iodáil agus i bhFlóndras aimsir na Meánaoise. Bhí siad go mór chun cinn i gcúrsaí tráchtála. Cuireadh tús leis an mbaincéireacht agus leis an gcuntasóireacht san Iodáil mar chuidiú leis na ceannaithe, e.g. ba bhainc mór le rá ar fud na hEorpa iad Bardi agus Peruzzi a thosaigh i bhFlórans.

Chuir ceannaithe na gcathracha Gearmánacha cuallachtaí trádála ar bun. Thugaidís iasc, adhmad, tarra, grán, agus earraí eile ó thíortha Mhuir Bhailt ar ais go Flóndras agus go Sasana. B'in é an chaoi ar bhain bailte áirithe cumhacht agus saibhreas amach.

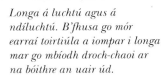

Longa á luchtú agus á ndíluchtú. B'fhusa go mór earraí toirtiúla a iompar i longa mar go mbíodh droch-chaoi ar na bóithre an uair úd.

CÚRSAÍ TIONSCLAÍOCHTA

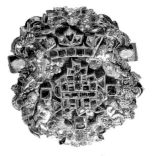

Sa Ghearmáin sa 15ú haois a rinneadh an siogairlín seo. Ceardaithe oilte a dhéanadh a leithéid seo d'earraí sóchais.

Ceardaithe i mbun déanamh gloine. Ba é an chaoi a ndéantaí gloine ná gaineamh agus potais a mheascadh le chéile i bhfoirnéis ardteochta. Shéidtí aer isteach sa ghloine trí phíobán, ansin, le cruth a chur uirthi.

Tionsclaíocht ar mhionchóir amháin a bhí ann i gcaitheamh na Meánaoise mar gur le cúrsaí talmhaíochta a bhí formhór na ndaoine gafa. De láimh a tháirgtí gach earra. Tháinig tionsclaíocht ar mhórchóir agus cumhacht mheicniúil chun cinn de réir a chéile. Ghlac tionscal na holla leis an leagan amach nua luath go leor.

TIONSCAL NA hOLLA

Bhí déantús na holla an-chasta agus bhíodh go leor ceardaithe páirteach ann. Sa bhaile a d'oibríodh cuid acu agus thugadh na ceannaithe an olann chucu. Cuid eile acu bhídís fostaithe i gceardlanna sa bhaile mór. I dtosach báire shníomhadh na mná an olann ina snáth. Dhéanadh an fíodóir éadach den snáth ar sheol a d'oibrítí leis na cosa is leis na lámha.

Ramhrú agus dathú na holla. Leis na lámha is leis na cosa a dhéantaí an obair seo go dtí gur ceapadh muilte úcaireachta.

Ramhraítí an olann ansin trína fliuchadh agus a greadadh. Úcaire a dhéanadh an obair sin, i.e. greadadh de chosa san éadach in uisce. Tar éis an ramhraithe shíntí, thriomaítí, chóirítí agus bhearrtaí an olann. Ansin dhathaítí an olann i ndabhach mhór.

Ón 12ú céad amach d'úsáidtí muilte uisce leis an olann a ramhrú. Bhíodh sruthanna tréana ag teastáil leis na muilte a oibriú. Dá bharr sin ba faoin tír a dhéantaí an obair sin.

OIBRIÚ GLOINE

Bhíodh an ghloine costasach agus í gann go maith. Ach ón 10ú céad ar aghaidh bhíodh an-éileamh ar fhuinneoga daite le haghaidh eaglaisí tábhachtacha. Ba é an chaoi a gcuirtí dathanna leis an ngloine ná ocsaíd chopair nó ocsaíd iarainn a chur léi. Tá samplaí maithe de na fuinneoga daite in ardeaglaisí Poitiers agus Chartres agus in áiteanna eile ar fud na hEorpa. Tá clú go forleathan ar na dathanna corcra, gorm, uaine agus dearg atá sna fuinneoga sin.

CLOCHA BUA

Chaitheadh daoine mór le rá clocha bua. Chaitheadh an dream saibhir idir fhir is mhná fáinní. Tá go leor fianaise againn ar obair na seodóirí san am úd ó tháinig na seandálaithe ar sheodra Arnegunde, banríon na bhFranc, e.g. bróistí cruinne óir maisithe le gairnéid, fáinní cluaise agus fáinne méar a bhfuil a hainm air. Mhaisítí na heaglaisí le seodra agus bhaintí úsáid as seodra freisin le dealbha na naomh agus cumhdaigh thaisí na naomh a mhaisiú (féach barr lch 32).

Fuinneog de chuid na Meánaoise i Notre Dame, ardeaglais Ghotach i bPáras. Ba é an chaoi a ndéantaí gloine dhaite ná miotal a chur leis an ngloine leachtach. Ceapadh fuinneoga fíoráille ildaite ar an dóigh sin, fuinneoga a chuir cuma thaibhseach dhiamhrach dhathannach ar eaglaisí agus ar ardeaglaisí.

TEICSTÍLÍ EILE

Bhíodh línéadach, veilbhit agus síoda á gcaitheamh ag daoine chomh maith. Ní bhíodh sé d'acmhainn ach ag an dream saibhir veilbhit agus síoda a chaitheamh. Sa 13ú céad a rinneadh veilbhit den chéad uair san Eoraip. Maidir leis an síoda ba ón Oirthear a tugadh é ar dtús ach ón 12ú céad amach dhéantaí go leor de san Iodáil féin. Bhí cáil ar oibrithe síoda na Veinéise agus Fhlórans.

OIBRIÚ MIOTAL

Bhíodh mianadóireacht ar bun i gcaitheamh na Meánaoise, e.g. dhéantaí mianadóireacht ar amhiarann sa Ghearmáin agus i Sasana ach ba chrua agus ba chontúirteach an obair í gan teicneolaíocht an lae inniu chun an tochailt a dhéanamh, aer úr a chur ar fáil do na mianadóirí agus an t-uisce a phumpáil amach as na mianaigh.

Ar na hearraí ba thábhachtaí a dhéantaí den iarann bhí cathéide. Bhíodh an-éileamh ar chathéide chruach sa Ghearmáin agus i dtuaisceart na hIodáile. Dhéantaí uirlisí as freisin chun gnáthearraí a dhéanamh leo.

39

OBAIR SNA BAILTE MÓRA

Bhíodh bailte móra na Meánaoise salach plódaithe. Chónaíodh na siopadóirí os cionn na siopaí agus bhíodh na foirgnimh – arbh as caolach, dóib agus adhmad a bhídís déanta – ard cúng agus i mullach a chéile. Mar sin ba mhór an riosca dóiteán agus galar iad.

OBAIR NA nGILDEANNA

Bhíodh saol mhuintir na mbailte móra faoi smacht ag gildeanna na gceannaithe is na gceardaithe. Ba éard a bhí i ngild ná eagraíocht oibrithe a raibh an-tionchar acu ar chúrsaí gnó an bhaile. Ba iad máistrí na ngildeanna a shocraíodh cúrsaí pá, praghsanna agus mianach na hoibre. Is iomaí sin cineál gildeanna a bhí ann, e.g. diallaiteoirí, úcairí, fíodóirí agus báicéirí.

Bhí oiread sin cumhachta ag na gildeanna nach mbíodh cead ach ag baill na ngildeanna a bheith ina gceardaithe. Ba iad na máistrí na baill ba shinsearaí. Bhíodh a siopaí féin ag na máistrí agus foireann oibrithe, e.g. oibrithe a d'oibríodh ar phá ó lá go lá agus printísigh (buachaillí nó cailíní a bhíodh ag foghlaim a gceirde). Chabhraíodh na gildeanna freisin le baill dá gcuid a bhíodh tinn nó róshean chun oibre. Chruinnídís airgead agus thugaidís dóibh é.

NA CEANNAITHE

Bhíodh smacht ag na ceannaithe ar chúrsaí gnó an bhaile agus bhídís ar bhardas an bhaile freisin. Bhí cumhacht pholaitíochta ag na ceannaithe saibhre agus ag na gildeanna i bhFlórans. Ba ag na ceannaithe éadaigh a bhíodh na poist mhóra pholaitíochta sa chathair sin.

LAETHANTA SAOIRE

Bhíodh saoire ón obair ag daoine aimsir féilte naomh áirithe agus bhíodh ceiliúradh mór ann nuair a thugadh duine mór le rá cuairt ar an mbaile nó nuair a phósadh duine de theaghlach tábhachtach de chuid an bhaile.

I gcaitheamh saoire mar sin bhíodh an-chuid pléaráca ar an mbaile. Ghléasadh lucht na ngildeanna iad féin – gach gild ina n-éide féin agus dhéanaidís mórshiúl tríd an mbaile agus a gcuid meirgí agus bratacha leo. Dhéanadh na gildeanna drámaí mistéire, i.e. aithris ar scéalta an Bhíobla. Dhéanadh na ceannaithe éisc, mar shampla, aithris ar scéal Ióna agus an mhíl mhóir. Bhíodh siamsaíocht eile ar bun freisin, e.g. rásaí capall, troid idir choiligh, iomrascáil, scátáil, peil, etc.

Bhíodh córacha taistil na Meánaoise míchompordach. Ag dul ar an margadh sa bhaile mór i dtrucail capaill atá an bheirt sa phictiúr thuas.

Triúr báicéirí ag obair i mbaile mór. Scoirtí den obair chun féilte na naomh a cheiliúradh, rud a thugadh deis do na ceardaithe a scíth a ligean. Ar ndóigh, ní díomhaoin ar fad a bhídís ar na laethanta sin mar ghlacaidís páirt sna mórshiúlta agus sna haontaí.

TRÁDÁIL

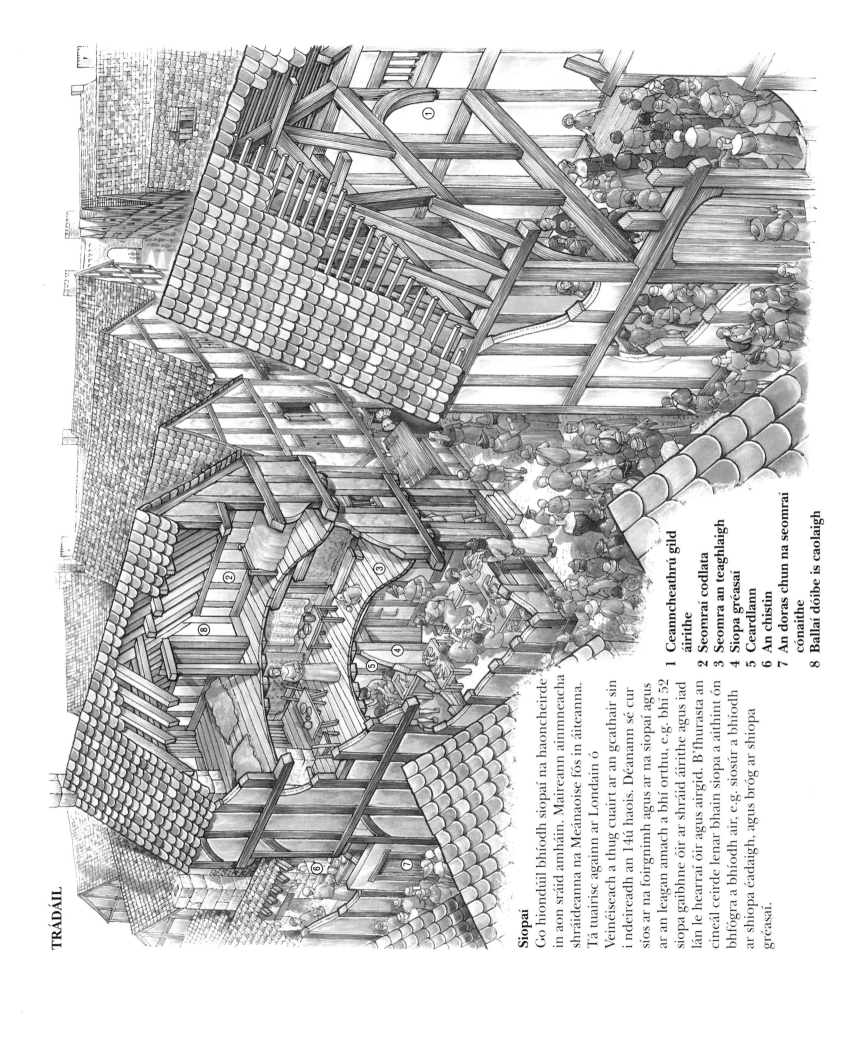

Siopaí

Go hiondúil bhíodh siopaí na haoncheirde in aon sráid amháin. Maireann ainmneacha shráideanna na Meánaoise fós in áiteanna. Tá tuairisc againn ar Londain ó Veinéiseach a thug cuairt ar an gcathair sin i ndeireadh an 14ú haois. Déanann sé cur síos ar na foirgnimh agus ar na siopaí agus ar an leagan amach a bhí orthu, e.g. bhí 52 siopa gaibhne óir ar shráid áirithe agus iad lán le hearraí óir agus airgid. B'fhurasta an cineál ceirde lenar bhain siopa a aithint ón bhfógra a bhíodh air, e.g. siosúr a bhíodh ar shiopa éadaigh, agus bróg ar shiopa gréasaí.

1 Ceanncheathrú gild áirithe
2 Seomraí codlata
3 Seomra an teaghlaigh
4 Siopa gréasaí
5 Ceardlann
6 An chistin
7 An doras chun na seomraí cónaithe
8 Ballaí dóibe is caolaigh

CÚRSAÍ LEIGHIS

Meascadh agus díol cógas de réir nós na Meánaoise. Cailleadh cuid mhaith den eolas a bhí ag lucht leighis na Róimhe agus na Gréige fadó i dtús na Meánaoise. As sin amach bhí cúrsaí leighis bunaithe ar an mbuille faoi thuairim agus ar chóireáil le luibheanna.

Pictiúr de chuid na Meánaoise ina léirítear míorúilt. Feictear daoine á leigheas nuair a theagmhaíonn siad le hionar naoimh. Chreidtí go bhféadfadh an creideamh daoine a leigheas.

Bhíodh galar agus tinneas coitianta in aimsir na Meánaoise agus bhíodh faitíos a gcraicinn ar dhaoine roimh an ngalar dubh a mharaigh na mílte. Is go mall a tháinig feabhas ar chúrsaí leighis.

GALAIR

Bhí go leor galar ann nach raibh leigheas ar bith orthu, e.g. an lobhra, galar cnis tógálach. Bhíodh ar lobhair cónaí astu féin agus ba mhinic bac orthu teacht isteach i mbailte móra ar fhaitíos go leathfadh an galar, e.g. i bPáras i ndeireadh an 15ú haois. In áiteanna áirithe thógtaí tithe speisialta le haghaidh lobhar i bhfad ón mbaile mór, e.g. bhí seacht dteach le haghaidh lobhar in aice Toulouse na Fraince sa 13ú céad. I ngeall ar an lobhra bhíodh faitíos ar dhaoine roimh lucht galar craicinn freisin. Ní raibh leigheas ach a oiread ar an mbruitíneach, ar an eitinn, ar an dinnireacht, ar an diftéire, ar an mbolgach Dé ná ar an bhfiabhras dearg.

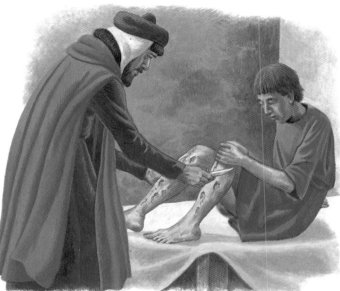

Dochtúir ag cur cóir leighis ar othar. Ba bheag ospidéal a bhíodh ann aimsir na Meánaoise agus mar sin dhéantaí cúram de na heasláin ina dteach féin.

> 'Lá áirithe caitheadh ceirteacha bacaigh a bhí tar éis bháis leis an bplá amach ar an tsráid. Shrac dhá mhuc na ceirteacha as a chéile. Cailleadh ar an bpointe boise iad amhail is dá mba nimh a tugadh dóibh.'
>
> — *Boccaccio* —

AN PHLÁ BHÚBÓNACH (AN GALAR DUBH)

Bhíodh scanradh ar dhaoine roimh an bplá bhúbónach. Sa bhliain 1347 a tháinig sí chun cinn san Iodáil agus ba ar na trádbhealaí ón Oirthear a scaipeadh í. Leath sí ón Iodáil go tíortha eile. Cailleadh idir 20% agus 40% den phobal. Lucha francacha agus a gcuid dreancaidí a scaip an phlá. Ba iad na comharthaí go mbeadh sí ar dhuine ná meallta faoi na hascaillí agus ar chodanna eile den cholainn. Chuir roinnt cathracha Iodálacha córas coraintín ar bun agus b'éigean do chuairteoirí tamall a chaitheamh taobh amuigh den chathair sula ligfí isteach iad. Sa tslí sin shíl muintir na gcathracha iad féin a chosaint.

LEIGHEASANNA

Bhí leigheas galar sa Mheánaois bunaithe ar an nguí, ar an mbéaloideas, ar thástáil othar agus ar ghnéithe de chóras dochtúireachta na sean-Ghréige is na sean-Róimhe.

Tá tuairiscí againn ó Chaucer, file Sasanach de chuid an 14ú céad, a deir go mba nós coitianta leas a bhaint as briochtaí chun tinneas a bheadh ar dhaoine nó ar ainmhithe a leigheas. Dar le Chaucer, ba mheascán de lionnta – fuil, lionn fuar, lionn buí agus lionn dubh – ba chiontach le meon agus le sláinte an duine. Bhí na lionnta déanta as ceithre dhúil – tine, uisce, aer agus ithir. B'amhlaidh a chomhairlíodh dochtúirí dá gcuid othar bia a ithe a bheadh feiliúnach do lionn áirithe.

Tosaíodh ar chorpáin a ghearradh suas (a dhioscadh) in ollscoileanna na Meánaoise, cuir i gcás in Ollscoil Bologna na hIodáile. Tháinig méadú mór ar dhioscadh corp ón 14ú céad amach, rud a chuir go mór le heolas na ndochtúirí ar cholainn an duine.

SLÁINTEACHAS

Ar na cúiseanna a leath an galar dubh sna bailte bhí an easpa sláinteachais. Ní go dtí an 19ú céad a thuig dochtúirí agus banaltraí i gceart an tábhacht a bhaineann le glaineacht. I gcaitheamh na Meánaoise chaití dramhaíl, cac agus bruscar na dtithe is na siopaí amach ar an tsráid áit a lobhaidís.

An phlá i mbaile mór. Tá tuairisc againn ó Boccaccio ar an scaoll a bhuaileadh daoine nuair a thagadh an phlá. Ba mhinic a chailltí teaghlach iomlán léi.

43

DEIREADH RÉ

Tháinig athrú millteanach mór ar chúrsaí cogaíochta nuair a ceapadh gunnaí móra agus gnáthghunnaí tarraingt ar dheireadh na Meánaoise. As sin amach ba thábhachtaí na gunnaí ná ridirí ar muin capall.

Tháinig athrú de réir a chéile ar shaol na Meánaoise – ar an gcóras feodach, ar smacht na hEaglaise ar shaol na ndaoine agus ar eagar na sochaí. Tháinig tuairimí nua chun cinn.

AN EAGLAIS

Bhíodh cuid mhaith smachta ag an Eaglais ar shaol na ndaoine i gcaitheamh na Meánaoise. Ach bhí dreamanna áirithe míshásta leis an Eaglais. Mheas go leor de cheannairí polaitíochta na hEorpa nár cheart cumhacht shaolta a bheith ag an bPápa. Bhí na scríbhneoirí ar aon tuairim leo, Dante (1265-1321) na hIodáile, mar shampla.

Cáineadh an Eaglais go mór i gcaitheamh an 14ú agus an 15ú céad. Ní raibh meas ag daoine ar Phápaí a bhí gafa leis an bpolaitíocht.

Ego sum Papa.

I ndeireadh na Meánaoise thosaigh daoine ag lochtú agus ag cáineadh na hEaglaise. Cháin siad ach go háirithe an tsaint agus an chaimiléireacht a bhain leis na huachtaráin. Tugtar le fios sa phictiúr seo gur diabhal é an Pápa.

Leathanach den Bhíobla a rinneadh le clóphreas tamall tar éis na bliana 1450. I ndeireadh na Meánaoise aistríodh an Bíobla ón Laidin go teangacha na hEorpa. As sin suas d'fhéadadh an pobal é a léamh as a stuaim féin agus a gciall féin a bhaint as. B'éachtach an t-athrú é sin.

EASAONTAS AGUS SIOSMA

Tháinig tréimhse easaontais ansin ar a dtugtar an Siosma Mór. An Phápacht féin – cén duine ba cheart a bheith ina Phápa – ba chúis leis an easaontas. Toghadh roinnt daoine éagsúla ina bPápaí agus bhí a lucht leanúna féin ag gach duine acu. Ní raibh muinín ag go leor daoine as an Eaglais as sin amach.

Cháin an pobal sagairt nach raibh ach drochoideachas orthu agus manaigh agus mná rialta nach ndearna de réir a móideanna. Chuaigh an gnáthphobal ó smacht ar an Eaglais de bharr na nithe sin. Theastaigh ó dhaoine a dtuairimí féin a bheith acu i dtaobh cúrsaí oideachais, cúrsaí polaitíochta agus cúrsaí creidimh seachas glacadh le teagasc na hEaglaise.

CÚRSAÍ COGAÍOCHTA

Tháinig athrú ar chúrsaí cogaíochta thart faoin am seo. Ba iad na ridirí an chuid ba thábhachtaí den arm i gcaitheamh na Meánaoise agus chaitheadh an uasaicme a lán ama ag traenáil chun cogaíochta. A thúisce is a tosaíodh ar úsáid a bhaint as púdar gunnaí agus as airtléire chuaigh athrú ar chúrsaí cogaidh. Bhí eolas ar phúdar gunnaí sa tSín chomh luath leis an 11ú céad ach níor scríobhadh cuntas san Eoraip ar an gcaoi lena dhéanamh go dtí an 13ú céad. Ceapadh gunnaí móra agus gnáthghunnaí ina dhiaidh sin. Ní raibh caisleáin ná dúnta daingne leath chomh sábháilte as sin amach. Mar sin tháinig meath ar an ridireacht agus dhírigh an uasaicme ar an bpolaitíocht agus ar shaol galánta an duine uasail a chaitheamh seachas ar an gcogaíocht.

NA BAILTE MÓRA AGUS AN TUATH

Faoin tuath a bhíodh cónaí ar fhormhór an phobail i gcaitheamh na Meánaoise. Bhraitheadh an saol acu ar an talmhaíocht agus ar a bhisiúla is a bhíodh an fómhar. Maidir leis na ridirí agus leis an uasaicme d'fhaighidís ioncam ó chíosanna agus as toradh na feirmeoireachta a dhíol. Chuaigh breis daoine ag obair is chun cónaithe sna bailte móra agus fuair siad obair i gcúrsaí trádála is déantúsaíochta. Bhain cuid acu a saibhreas amach ar an gcaoi sin.

DEIREADH RÉ

Thart faoin 15ú céad is ea a tháinig deireadh leis an Meánaois. Seo a leanas cuid de na cúiseanna: tháinig athrú meoin ar an bpobal maidir le cúrsaí creidimh, cuireadh feabhas ar threalamh cogaíochta agus tháinig feabhas ar an ngeilleagar. Ba é an tuairim nua a bhí tagtha chun cinn ná go raibh smacht iomlán ag gach duine ar a shaol féin – tuairim nach mbeadh aon ghlacadh léi ag lucht na Meánaoise. De réir mar a chuaigh tuairimí den chineál sin i neart tháinig deireadh leis an Meánaois agus tháinig saol nua ina háit.

Clóphreas á oibriú. Lámhscríbhinní amháin a bhíodh ann i gcaitheamh na Meánaoise. Nuair a ceapadh an clóphreas sa 15ú céad cuireadh athrú mór ar dhéanamh leabhar.

DÁTAÍ TÁBHACHTACHA/GLUAIS

410	Scrios Alaric dásachtach agus na Viseagotaigh an Róimh.
442	D'fhág trúpaí na Róimhe an Bhreatain.
476	Cuireadh dá chois Impire deireanach na Róimhe san Iarthar
496	Chuaigh Clovis, Rí na bhFranc, leis an gCríostaíocht
800	Corónaíodh Séarlas Mór ina impire.
c.800	Thosaigh na Lochlannaigh ag déanamh ionsaithe ar an Eoraip. Lean siad leis sin go dtí an 11ú haois.
c.1000 – 1150	Tógáil Rómhánúil ar fhoirgnimh ar fud na hEorpa.
c.1050	Tháinig ollscoileanna chun cinn san Eoraip de réir a chéile
1066	Ionradh na Normannach ar Shasana. Liam na Normainne ina rí ar Shasana.
1071	Chloígh Turcaigh Sheilsiúic impirí Gréagacha Byzantium (na Biosáinte).
1086	Cuireadh críoch le Leabhar Domesday i Sasana.
1095	Tionóladh Comhairle Clermont, áit a raibh an Pápa Urban II ag tuineadh le daoine gabháil ar na Crosáidí.
1096-1099	An Chéad Chrosáid. Ghabh na Crosáidithe Iarúsailéim
1098	Bunaíodh na Cistéirsigh le saol na mainistreacha a leasú.
c.1100	Cuireadh suim i saol clasaiceach na Gréige is na Róimhe athuair. Cuireadh eolas freisin ar eolaíocht na nArabach.
1147-'49	D'eagraigh Bearnard Clairvoux an Dara Crosáid. Thriail na Crosáidithe Damascus a ghabháil ach theip orthu.
1169	Ionradh na Normannach ar Éirinn.
1187	Ghabh na Moslamaigh Iarúsailéim.
1189-'92	An Tríú Crosáid. Ba iad seo a leanas na ceannairí a bhí ina bun: Feardorcha Barbarossa na Gearmáine, Risteárd I Shasana agus Pilib Augustus na Fraince. Rinneadh sos cogaidh idir Risteárd I agus Salahaidin, ceannaire na Moslamach.
c.1200	Ealaín agus ailtireacht Ghotach faoi ardmheas ar fud na hEorpa
1204	An Ceathrú Crosáid a thug an Pápa Innocentius III le chéile. D'ionsaigh na Crosáidithe Cathair Chonstaintín agus cuireadh an Impireacht Laidineach ar bun. Mhair sé go dtí 1261.
1212	Crosáid na bPáistí
1215	Magna Carta idir Rí Seón Shasana agus a chuid géillsineach.
c.1275	Shroich Marco Polo cúirt Kublai Khan, Impire na Mongóile agus na Síne.
1291	Ghabh na Moslamaigh Acre, i.e. daingean deireanach na gCríostaithe sa Talamh Naofa.
1307	Fuair Éadbhard I Shasana bás. Ba lena linnsean a ghabh an pharlaimint cumhacht chuici féin.

1337	Tús leis an gCogadh Céad Bliain idir Sasana agus an Fhrainc.
c.1340-1400	Bhí Chaucer, an file Sasanach, ar an saol.
1347-'9	An Phlá Bhúbónach
1378-1417	Siosma Mór san Eaglais
1381	Éirí Amach na dTuathánach i Sasana
1412-'31	Bhí Jeanne (Siobhán) d'Arc ar an saol
1415	Cath Agincourt
c1450	Ceapadh an clóphreas ina raibh cló inaistrithe
1453	Scrios na Turcaigh Cathair Chonstaintín

Gluais

Seandálaíocht: staidéar ar iarsmaí ón sean-am

Taipéis Bayeux: Brat a rinneadh chun Cath Hastings 1066 a chomóradh. Ríomhann sé scéal an chatha ó thús go deireadh i bpictiúir a rinneadh le bróidnéireacht. Tá an taipéis 65 méadar ar fad agus leath méadair ar airde. Is cosúil go ndearnadh í laistigh de ghlúin nó mar sin i ndiaidh an chatha mar tá sí cruinn go maith ó thaobh na staire de

An Galar Dubh: An Phlá Bhúbónach a leath trasna na hEorpa idir 1348 A.D. agus 1350 agus a mharaigh na mílte. Dreancaide a bhíodh ar an bhfrancach dubh, a chuireadh an nimh i gcolainn duine nuair a bhaineadh sí greim as, an bhunchúis a bhí léi. Thógfadh daoine eile an galar as an aer tar éis do dhuine a raibh an phlá air sraoth a ligean nó casacht a dhéanamh.

Crosáidí: Na hiarrachtaí a rinne Críostaithe Iarthar na hEorpa an Tír Naofa a shaoradh ó na Turcaigh (Moslamaigh). Feachtais mhóra mhíleata ba mhó a bhí i gceist. Dosaen díobh a chuir chun bealaigh, ón 11ú go dtí an 13ú céad.

Domesday Book: liosta iomlán de na daoine a raibh talamh acu i Sasana aimsir Liam Concaire. Feidhmeannaigh dá chuid a bhailigh.

Feod: an réimse talún a bhíodh ag tiarna faoin gcóras feodach

Feodachas: an córas sa Mheánaois faoina mbronnadh an rí talamh ar na tiarnaí ar choinníoll go mbeidís umhal dó agus go dtroidfidís ar a shon nuair ba ghá.

Eiriceach: duine nach ngéillfeadh do theagasc na hEaglaise

Ridire: saighdiúir oilte a throideadh ar muin capaill aimsir na Meánaoise. Bhíodh sé gléasta i gcathéide. Ridirí ba ea na tiarnaí agus na barúin go léir beagnach

Mainéar: talamh agus teach duine uasail

Gild: cumann nó cuallacht ceannaithe nó ceardaithe oilte

Fealsúnacht: staidéar ar bhunphrionsabail an eolais agus an mhachnaimh

Oilithreach: duine a thugann turas go dtí áit bheannaithe (an Talamh Naofa mar shampla) ar chúiseanna creidimh

Taise: cuid de naomh nó nithe a raibh baint acu leis i.e. cnámha nó a chuid éadaigh.

Sleachta

Ba í an Laidin teanga na hEaglaise agus an oideachais i gcaitheamh na Meánaoise. Ba as Laidin a scríobhtaí formhór na ndoiciméad an uair sin. Aistriú go Gaeilge ón Laidin formhór na sleachta sa leabhar seo.

INNÉACS | FOCLÓIRÍN

Abhlóirí *buffoons, clowns*
acmhainn *means (wealth)*
aighneas *dispute*
ainnis *miserable*
aindlí *anarchy*
aineolas *ignorance*
ainm in airde *renowned*
aíonna *guests*
airtléire *artillery*
aithris *imitate*
altramas *adoption*
amhiarann *iron ore*
arbhar *corn*
armas *coat of arms*
asarlaíocht *sorcery, witchcraft*
astraláib *astrolabe*
athbhreithniú *review*
atheagar *reorganize*

Barbarthacht *barbarity, savagery*
béaloideas *oral tradition*
biorach *pointed*
bisiúil *prolific, abundant*
bolgach Dé *smallpox*
borradh *growth, expansion*
briocht *spell, charm*
bró *quern*
bróidnéireacht *embroidery*
bruitíneach *measles*
brúidiúlacht *brutality*
buan *permanent*
bunadh *people*

Caidreamh *social contact*
caimiléireacht *dishonesty*
cainéal *cinnamon*
cainneann *leek*
caipisín *hooded cloak*
camras *sewage*
caolach *wickerwork*
casaoid *complain*
Catárach *Cathar*
cathéide *armour*
ceannaí *merchant*
ceannas *sovereignty*
ceanncheathrú *headquarters*
céimíocht *status*
clabhstra *cloister*
cleamairí *mummers*
clocha bua *precious stones*
cloí *conquer, defeat*
clóphreas *printing press*
cogaíocht *warfare*
coimhlint *compete*
coirceoga *beehives*
cóireáil *treatment*
comhairle *council*
comhartha *sign, signal*
coraintín *quarantine*
coraíocht *wrestling*
corrach *unsettled*
corrán *sickle*
cráifeach *religious, devout*
craobhscaoileadh *preach (Gospel)*
cróch *saffron*
crosbhoghdóir *cross-bowman*
croslann *transept*

cuallacht *guild, company*
cuí *proper, appropriate*
cúimin *cumin*
cuimse, as *tremendously*
cúirteoirí *courtiers*
cúiteamh *compensation*
cumhdach *shrine, reliquary*
cuspóir *objective*

dabhach *tub, vat*
dásachtach *daring, bold*
déirc *alms*
dídean *shelter, accommodation*
diftéire *diphteria*
dinnireacht *dysentery*
díospóireacht *debate*
díthreabhach *hermit*
déantúsaíocht *manufacturing*
diansmacht *strict discipline*
díluchtú *unload*
díomhaoin *idle*
dioscadh *dissection*
dlite *due*
dlúthbhearrtha *close-shaven*
dlúthchuid *integral part*
dóib *mud*
dramhaíl *refuse*
dualgas *duty, obligation*
dúthrachtach *earnest, zealous*

Eaglaiseach *churchman*
eagraíocht *organization*
ealaín *art*
easlán *sick, invalid*
eiriceacht *heresy*
eitinn *tuberculosis*

Fabhcún *falcon*
fairsing *wide, extensive*
féachaint nirt *trial of strength*
feachtas *campaign*
fealsúna *philosophers*
feidhmeannaigh *agents*
feodachas *feudalism*
fiann *band of warriors*
ficheall *chess*
finscéalta *fiction*
fíorais *facts*
fíréanta *just, righteous*
fite fuaite *interwoven*
foinse *source*
foirmiúlacht *formality*
fónamh do *to serve*
fuascailt *ransom*
fuirseadh *harrowing*

Gábh *danger*
gaibhne *blacksmiths*

gaiscíoch *warrior*
gannchuid *great scarcity*
geáitsíocht *play-acting*
géill *submit, give in*
géarghá *dire need*
geilleagar *economy*
géillsineach *subject (people)*
goradh *warm*
giuirléidí *personal belongings*
giústáil *jousting*
gleacaithe *gymnasts*
gné *aspect*
gradam *honour, status*
gréasaí *shoemaker*

Ilchríoch *continent*
imrothlú *to revolve*
inaistrithe *movable*
inchurtha *comparable*
íocaíocht *payment*
iomrascáil *wrestling*
ionadaí *representative*
ionradh *invasion*
íosaicme *lower class*
iontaofacht *reliability*

Lámhchleasaithe *jugglers*
leannlusanna *hops*
leasú *preserve (food); reform*
limistéar *territory*
lionn *humour (of the body)*
lobhra *leprosy*
loirgneán *gaiter*

Máilleach *mail (armour)*
manachas *monasticism*
mangairí *hawkers*
maoirseacht *supervising*
maolú *to ease, abate*
marcshlua *cavalry*
meilt *grind*
meirge *banner, flag*
meon *mentality*
mianach *mine, quality*
mianadóireacht *mining*
mionchóir *on a small scale*
mionnaigh *swear*
mionú *to mince*
modh maireachtála *way of life*
moirtéar *mortar*
muca mara *porpoises*
muilleoirí *millers*

Neamhchiontach *innocent*
niachas *chivalry*
nósúil *formal, polite*

Ocsaíd *oxide*
oideas *recipe, prescription*
oilithreach *pilgrim*
oirfidigh fáin *wandering players*
osán *leg of trousers*

Pléaráca *revelry*
proinnteach *dining-room*
príobháid *privacy*

Reáchtáil *run, administer*
réalteolaí *astronomer*
ridireacht *knighthood*
riar *manage, run*
Rómhánúil *Romanesque*
ruathar *attack*

Saill *fat (meat)*
saint *greed*
saoltacht *worldliness*
saothrú *cultivate*
scaoll *panic, terror*
scoth *the best*
scuibhéir *squire*
seabhcóirí *falconers*
seandálaithe *archaeologists*
seanmóirithe *preachers*
searmanas *ceremony*
siamsaíocht *entertainment*
sinsearach *senior*
siogairlín *pendant*
siosma *schism*
sláinteachas *hygiene*
sleachta *excerpts*
sliasaid *thigh, side*
sníomh *weaving*
sochaí *society*
sochar *benefit*
sóchas *luxury*
speisialtóireacht *specialization*
suaitheantas *badge, crest*
suanlios *dormitory*
suarach *mean, despicable*

Taibhseach *flashy, flamboyant*
taifead *record (of events)*
táiplis mhór *backgammon*
teacht isteach *income*
teagmháil *contact*
teicneolaíocht *technology*
tiomnaigh *dedicate*
tionchar *influence*
tionlacan *accompany*
tionsclaíocht *industry*
tógálach *infectious*
toirtiúil *bulky*
tráthrialta *regularly*
trealamh *equipment*
tréanas *abstinence*
treibh *tribe*
troscadh *fasting*
tuairgnín *pestle*
tuathánaigh *peasants*
tuineadh *urging*
tútach *crude,*

Uasaicme *aristocracy*
úcaireacht *fulling*
uimhríocht *arithmetic*
úinéireacht *ownership*
umhal *humble, obedient*
urphost *outpost*
urraim *respect, esteem*

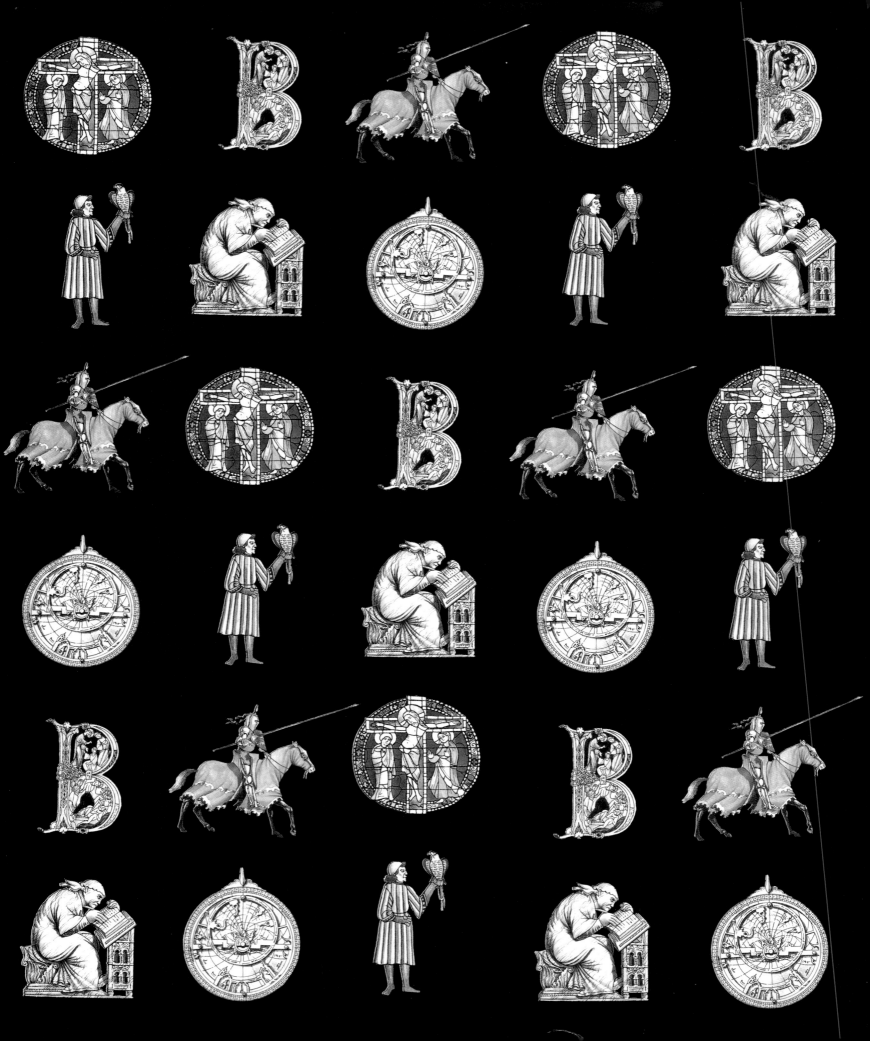